Code Nederlands

basisleergang Nederlands voor volwassen anderstaligen

Folkert Kuiken
Alice van Kalsbeek

deel I tekstboek

Afdeling Nederlands Tweede Taal
Vrije Universiteit Amsterdam

 Meulenhoff Educatief Amsterdam

Code Nederlands

basisleergang Nederlands voor volwassen anderstaligen

is als volgt samengesteld:

Code Nederlands, tekstboek 1
Code Nederlands, oefenboek 1
Code Nederlands, set cassettes bij deel 1
Code Nederlands, docentenhandleiding bij deel 1
Code Nederlands, softwarepakket bij deel 1

Code Nederlands, tekstboek 2
Code Nederlands, oefenboek 2
Code Nederlands, set cassettes bij deel 2
Code Nederlands, docentenhandleiding bij deel 2
Code Nederlands, softwarepakket bij deel 2

Eerste druk
00 99 98 97 96 95 94
15 14 13 12 11 10

ISBN 90 280 6051 0

© Meulenhoff Educatief bv, Amsterdam

Inhoud

Hoe heet u?

Karin Pamela Helga de Kam
Jos de Beer Ahmed
Rob Jansen
aicha J.W. van Dessm anna

A o-o **I** **Op een feestje**

— Jos de Beer.
— Arthur Prins.

— Dag, ik ben Anke de Graaf.
— Dag, Rob Jansen.

— Hoe heet je?
— Linda. En jij?
— Harry.

— Mag ik me even voorstellen?
Mijn naam is Witteman.
— Prettig met u kennis te maken.
Ik ben mevrouw Andersen.

— Veldman.
— Van Zetten.

— Ik heet Oscar. En jij?
— Anna.

— Bent u mevrouw Overmeer?
— Ja.

— Ben jij Mariska?
— Nee. Ik heet Karin.

Zich voorstellen

formeel/informeel: *voornaam + achternaam*

— Jos de Beer.
— Arthur Prins.

informeel: *voornaam*

— Ik heet Oscar. En jij?
— Anna.

formeel: *achternaam*

— Veldman.
— Van Zetten.

Ja en nee zeggen

Het persoonlijk voornaamwoord: ik, u, je/jij

1 **ik**	— Dag, ik ben Anke de Graaf.
	— Dag, Rob Willems.
2 formeel: **u**	— Bent u mevrouw Overmeer?
	— Ja.
informeel: **je**	— Hoe heet je?
	— Linda.
informeel, contrast: **jij**	— Ik heet Oscar. En jij?
	— Anna.

B 0-0 2 In een bar

Hendrik-Jan	Hoe heet je?
Anouschka	Anouschka.
Hendrik-Jan	Hoe heet je?
Anouschka	Anouschka.
Hendrik-Jan	Anouschka? Hoe spel je dat?
Anouschka	A, N, O, U, S, C, H, K, A.
Hendrik-Jan	O ja.

0-0 3 Aan het loket

Mevrouw de Jong	Wat is uw naam?
Mark Fischer	Fischer.
Mevrouw de Jong	Visser?
Mark Fischer	Nee, Fischer.
Mevrouw de Jong	Kunt u het spellen?
Mark Fischer	Ja. F, I, S, C, H, E, R.
Mevrouw de Jong	F, I, S, C, H, E, R.

11

A B C D E

F G H I J K

L M N O P

Q R S T U

V W X Y Z

Vragen om te spellen en spellen

Hoe spelt u/spel je dat?	— Hoe spel je dat? — A, N, O, U, S, C, H, K, A.
Kunt u/Kun je het spellen?	— Kunt u het spellen? — Ja, F, I, S, C, H, E, R.

Vragen naar een naam en reactie

Hoe heet u? (**Ik heet**) *naam*.	— Hoe heet u? — Van Zetten.
Hoe heet je? (**Ik heet**) *voornaam*.	— Hoe heet je? — Ik heet Anouschka.
Wat is uw naam? (**Mijn naam is**) *naam*.	— Wat is uw naam? — Fischer.

0-0 5 **In een café**

Marjolijn	Waar woon je?
Willem	In Utrecht.
Marjolijn	Waar in Utrecht?
Willem	In de Fabriekstraat.
	En jij?
Marjolijn	Ik woon in Lelystad.
	In de Brugstraat.

0-0 6 **Op een receptie**

Ruud Geerts	Woont u in Brussel?
Magda de Smet	Ja.
Ruud Geerts	Waar?
Magda de Smet	In de Wetstraat.
Ruud Geerts	Ah ja, ik ook. Op welk nummer woont u?
Magda de Smet	Op drieëntwintig. En u?
Ruud Geerts	Ik woon op achtendertig.

0-0 **7** Op de Nederlandse les

Pamela	Waar kom je vandaan?
Aicha	Uit Marokko.
	En jij?
Pamela	Ik kom uit Engeland.
	Kom jij ook uit Marokko?
Joao	Nee, uit Brazilië.
Pamela	En uit welk land kom jij?
Jamila	Ik kom uit India.

Vragen naar een adres en reactie

Waar woont u/ woon je?	— Waar woon je?
(Ik woon) in ...	— In Utrecht.
Woont u/Woon je in ...	— Woont u in de Fabriekstraat?
Ja/Nee, (ik woon) (in ...).	— Ja.
Op welk nummer woont u/	— Op welk nummer woont u?
woon je?	— Op 23.
(Ik woon) op ...	

Vragen naar herkomst en reactie

Waar komt u/kom je vandaan?	— Waar komt u vandaan?
(Ik kom) uit ...	— Uit India.
Uit welk land komt u/kom je?	— Uit welk land kom je?
	— Ik kom uit Canada.
Komt u/Kom je uit ...?	— Kom je uit Nederland?
Ja/Nee, (ik kom) (uit ...)	— Nee, uit België.

Woordvolgorde: de enkelvoudige zin

Basisstructuur

Eerste plaats	Finiet werkwoord	Onderwerp	Rest	Infiniet werkwoord
Hoe	heet	je?		
Uit welk land	kom	jij?		
Hoe	spel	je	dat?	
	Bent	u	mevrouw Overmeer?	
	Woont	u	in Amsterdam?	
	Kom	jij	ook uit Marokko?	

Het onderwerp op de eerste plaats

Eerste plaats	Finiet werkwoord	Rest	Infiniet werkwoord
Ik	ben	Anke de Graaf.	
Je	woont	in Lelystad.	
U	komt	uit Engeland.	

Hoofdtelwoorden

0 nul	10 tien	20 twintig	30 dertig
1 een	11 elf	21 eenentwintig	40 veertig
2 twee	12 twaalf	22 tweeëntwintig	50 vijftig
3 drie	13 dertien	23 drieëntwintig	60 zestig
4 vier	14 veertien	24 vierentwintig	70 zeventig
5 vijf	15 vijftien	25 vijfentwintig	80 tachtig
6 zes	16 zestien	26 zesentwintig	90 negentig
7 zeven	17 zeventien	27 zevenentwintig	
8 acht	18 achttien	28 achtentwintig	100 honderd
9 negen	19 negentien	29 negenentwintig	
			200 tweehonderd

348 driehonderd achtenveertig

1000 duizend

1136 elfhonderd zesendertig

1.000.000 een miljoen

ACHTERNAAM	D E	G R O O T
VOORNAAM	R I A
STRAAT	B O R D I N E W E G	**NUMMER** 8 6
POSTCODE	8 9 3 1	A T
WOONPLAATS	L E E U W A R D E N
GEBOORTEDATUM	1 1	0 3	1 9 6 3
TELEFOON	0 5 8	8 8 2 4 6 7

D ▦ 9 **Monique, Richard, Ahmed en Angela**

Ik ben Monique Mertens.
Ik kom uit Gent,
maar woon in Amsterdam.
Ik ben werkloos.

Dit is Richard van den Berg, een vriend.
Hij is kapper. hairdresser
Hij woont in Purmerend
en werkt in Amsterdam.

En dit is Ahmed Aslan, een buurman.
Hij komt uit Turkije,
maar woont in Amsterdam.
Hij is student.

En zij? Dat is Angela de Coo.
Angela is mijn beste vriendin.
Ze komt ook uit België.
Ze woont nog in Gent.

Identificeren

| **Dit is/Dat is ...** | Dit is Richard van den Berg, een vriend. |
| | Dit is Ahmed Aslan, dat is Angela. |

Uit: Theo van den Boogaard & Wim T. Schippers, *Sjef van Oekel bijt van zich af*. Uitg. Oberon bv, Haarlem.

Het persoonlijk voornaamwoord: hij, ze/zij

3	man: **hij**	Dit is Richard, een vriend. Hij is kapper.
	vrouw, neutraal: **ze**	Angela is mijn vriendin. Ze komt uit België.
	vrouw, contrast: **zij**	Hij is student. En zij? Zij werkt.

17

Het werkwoord: enkelvoud

werken			wonen		
I	Ik	**werk**	in Amsterdam.	Ik	**woon**	in Nederland.
2	U	**werkt**	in Purmerend.	U	**woont**	in Gent.
	Je/Jij	**werkt**	ook.	Je/Jij	**woont**	ook in Nederland.
		Werk je	ook?		**Woon** je	ook in Nederland?
3	Hij	**werkt**	in Brussel.	Hij	**woont**	ook in Gent.
	Ze/Zij	**werkt**	in Gent.	Ze/Zij	**woont**	in Turkije.

heten			zijn		
I	Ik	**heet**	Rob.	Ik	**ben**	Rob.
2	U	**heet**	Arthur Prins.	U	**bent**	mevrouw de Jong.
	Je/Jij	**heet**	Jos.	Je/Jij	**bent**	kapper.
		Heet je	Jos?		**Ben** je	kapper?
3	Hij	**heet**	Ahmed.	Hij	**is**	student.
	Ze/Zij	**heet**	Monique.	Ze/Zij	**is**	werkloos.

10 Adressen

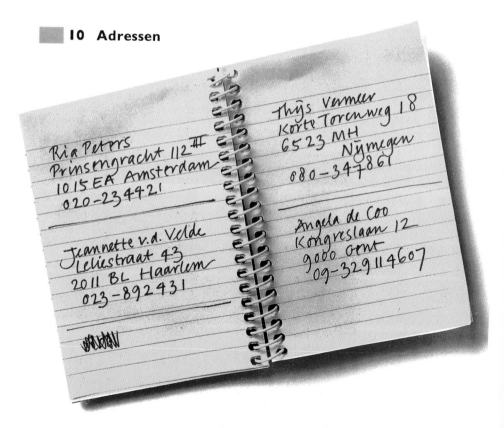

E ▓▓ 11 Een formulier

Een invulformulier   * in elk vakje niet meer dan een cijfer of blokletter invullen
(in blokletters invullen)   ** doorhalen wat niet van toepassing is
                    *** aankruisen wat van toepassing is

1. ACHTERNAAM*   `D E`   `G R O O T`
(voor gehuwde vrouwen meisjesnaam)

2. VOORNAMEN voluit   `R I A`

3. STRAAT ....`B O R D I N E W E G`................................HUISNUMMER `8 6`

POSTCODE EN WOONPLAATS*   postcode `8 9 3 1 A T` `L E E U W A R D E N`

TELEFOONNUMMER netnummer ...`0 5 8`... abonneenummer ......`8 8 2 4 6 7`

4. GEBOORTEDATUM   dag `1 1` maand `0 3` jaar `6 3`

5. GEBOORTEPLAATS   `H A R L I N G E N`
GEBOORTELAND   `N E D E R L A N D`

6. NATIONALITEIT   `N E D E R L A N D S E`

7. BURGERLIJKE STAAT**   ongehuwd/gehuwd/gescheiden/weduwe/weduwnaar/samenwonend

8. GESLACHT**   m/v

9. BEROEP   zonder beroep / mijn beroep is ...`L E R A R E S`

10. GIRO/BANKREKENING*   `4 3 3 0 8 2 6 5 7`

11. KENTEKEN VAN DE AUTO   `1 0 — V R — 9 8`
(als u geen auto heeft,
deze vraag overslaan)

Uit: Dick Verwey en Ieke Witteveen, *Formulierenboek*. N.B.L.C., Den Haag.

F

de achternaam	ja	nog	de vriend
het adres	de kapper	het nummer	de vriendin
het alfabet	kennismaken	ook	waar
de bar	komen	de postcode	waarvandaan
best (< goed)	kunnen	prettig	werken
de buurman	het land	de receptie	werkloos
het café	de les	spellen	wonen
even	het loket	de straat	de woonplaats
het feest	de mevrouw	de student	zijn
de geboortedatum	mogen	de telefoon	
heten	de naam	de voornaam	
hoe	nee	zich voorstellen	

19

2 Hoe gaat het ermee?

A ⊙-⊙ **1**   **In het park**

Meneer Klein	Goedemorgen, mevrouw Van Dale. Hoe gaat het met u?
Mevrouw Van Dale	Dag meneer Klein. Goed, en met u?
Meneer Klein	Uitstekend, dank u.

⊙-⊙ **2**   **Op het werk**

Meneer Vandenputte	Goedemiddag, mevrouw Vandijke.
Mevrouw Vandijke	Goedemiddag, meneer Vandenputte.
Meneer Vandenputte	Hoe maakt u het?
Mevrouw Vandijke	Goed, dank u. En u?
Meneer Vandenputte	Uitstekend, dank u.

0-0 **3** Op straat

Meneer Potter	Dag Edwin.
Edwin	Dag meneer Potter. Hoe gaat het met u?
Meneer Potter	Goed, en met jou?
Edwin	Ook goed, dank u.

0-0 **4** Op school

Paul	Hallo John.
	Hoe gaat het ermee?
John	O, lekker Paul.
	Hoe is het met jou?
Paul	Nou, het gaat wel.

Groeten en teruggroeten

formeel/informeel:	
Goedemorgen.	— Goedemorgen, Mariska.
Goedemiddag.	— Dag Bart.
Goedenavond.	— Goedenavond, mevrouw Vandijke.
	— Goedenavond, meneer Vandenputte.
Dag.	— Dag Edwin.
	— Dag meneer Potter.
informeel:	
Hallo.	— Hallo John.
	— Dag Paul.

formeel/informeel:
Hoe gaat/is het met je/jou/u?
Hoe gaat/is het ermee?

> **Goed.**
> **Goed, dank u/dank je.**
> **Goed, en met u/jou?**
> **Uitstekend, dank u/dank je.**
> **Het gaat wel.**

— Hoe gaat het met u, mevrouw Van Dale?
— Goed, en met jou, Bart?

— Dag Edwin, hoe is het ermee?
— O, het gaat wel.

formeel:
Hoe maakt u het?

— Goedemorgen, meneer Zwart, hoe maakt u het?
— Goed, dank u. En u?

B   o–o **5**   **In de stad**

Hassan	Ik heb trek in een broodje.
Mirjam	Ik ook.
Hassan	Zullen we even een broodje kopen?
Mirjam	Ja, goed.

6 Op de markt

Wilma	Zullen we ergens koffie drinken?
Ellen	Goed, maar waar?
Wilma	Laten we naar café Bos gaan.
Ellen	Okee.

7 In de kantine

David	Ga je mee naar de film?
Paula	Ja, graag. Wanneer?
David	Zaterdag.
Paula	Okee.
David	Zal ik kaartjes bestellen?
Paula	Graag.

○-○ **8 Bij Wendy**

Oscar	Ik ben morgen jarig.
	Heb je zin om te komen?
Wendy	Ja, leuk.
	Wanneer? 's Morgens, 's middags, 's avonds?
Oscar	's Avonds.
Wendy	Nodig je veel mensen uit?
Oscar	Ja, heel veel.
Wendy	Tot morgenavond dan.
Oscar	Tot ziens.

Vragen iets samen te doen

Zullen we ...?	— Zullen we ergens koffie drinken?
	— Ja, goed.
Hebt u/Heb je zin om ...?	— Hebt u zin om te komen?
	— Ja, leuk.
Gaat u/Ga je ... mee ...?	— Ga je mee naar de film?
	— Wanneer?

Positief reageren

(Ja,) goed.	— Zullen we ergens koffie drinken?
	— Goed, maar waar?
(Ja,) graag.	— Ga je mee naar de film?
	— Ja, graag.
(Ja,) leuk.	— Heb je zin om te komen?
	— Ja, leuk.
Okee.	— Laten we naar café Bos gaan.
	— Okee.

Afscheid nemen

Tot ziens.
Tot morgen/vanavond/volgende week, enzovoort.
Dag.

De dag, de nacht, enzovoort

06.00 uur — 18.00 uur	de dag	vandaag	overdag
06.00 uur — 12.00 uur	de morgen/ de ochtend	vanmorgen/ vanochtend	's morgens/ 's ochtends
12.00 uur — 18.00 uur	de middag	vanmiddag	's middags
18.00 uur — 24.00 uur	de avond	vanavond	's avonds
24.00 uur — 06.00 uur	de nacht	vannacht	's nachts

Het werkwoord: gaan, hebben, zullen

gaan

1	Ik	**ga**		naar de film.
2	U	**gaat**		niet mee, hè?
	Je	**gaat**		naar Wendy, hè?
	Ga		je	naar Wendy?
3	Hij	**gaat**		naar café Bos.
	Ze	**gaat**		met David mee.
1	We	**gaan**		naar huis.

hebben

1	Ik	**heb**		trek in koffie.
2	U	**hebt**		de kaartjes, hè?
	Je	**hebt**		trek in een broodje, hè?
	Heb		je	trek in een broodje?
3	Hij	**heeft**		zin om naar de film te gaan.
	Ze	**heeft**		zin om te komen.
1	We	**hebben**		zin om morgenavond naar Lucy te gaan.

zullen

1	Ik	**zal**		kaartjes bestellen.
2	U	**zal/zult**		Erik morgen wel zien.
	Je	**zal/zult**		wel geen zin hebben.
	Zal/Zul		je	kaartjes kopen?
3	Hij	**zal**		wel zien.
	Ze	**zal**		kaartjes bestellen.
1	We	**zullen**		volgende week Jos en Ed uitnodigen.

25

C ○-○ 9 **Bij Stephan en Lucy**

Stephan	Wat zullen we in het weekend doen?
Lucy	Ik weet het niet.
Stephan	Zullen we naar Groningen gaan?
Lucy	Nee, laten we maar thuisblijven.

○-○ 10 **Bij Hélène en Jacques**

Hélène	Zullen we vanavond uitgaan?
Jacques	Nou, misschien.
Hélène	Naar een concert?
Jacques	Ik heb geen zin om naar een concert te gaan.
Hélène	Wat wil je dan?
Jacques	Laten we naar Lucy en Stephan gaan.
Hélène	Goed.

○-○ 11 **Bij Maria**

Maria	Erik, zullen we vanmiddag naar de markt gaan?
Erik	Nee, ik kan vanmiddag niet.
Maria	En morgenochtend?
Erik	Nee, dan kan ik ook niet.
Maria	Volgende week misschien?
Erik	Ja, misschien.
	Ik zie wel.

Negatief reageren

(Nee), ik kan ... niet.
(Nee), ik heb geen zin om ...

— Zullen we vanmiddag naar de markt gaan?
— Nee, ik kan vanmiddag niet.

— Zullen we vanavond naar een concert gaan?
— Ik heb geen zin om naar een concert te gaan.

Weifelen ~doubts

Ik weet het niet.	— Wat zullen we vanavond doen?
	— Ik weet het niet.
Misschien.	— Ga je morgen ook naar Maria?
We zien wel./Ik zie wel.	— Misschien. Ik zie wel.

destanders krijgen ¶ *uit de school klappen* geheimen doorvertellen.
'schoolbank ⟨de~; -en⟩ bank of stoel met een tafeltje eraan vast, gebruikt op scholen ● *ik ken hem nog van de schoolbanken van vroeger, toen we samen op school zaten.*
'schoolblijven ⟨ww.⟩ voor straf na de lessen op school blijven ⇒ *nablijven.*
'schoolbord ⟨het~; -en⟩ zwart of groen geverfd bord in een schoollokaal waarop je met krijt schrijft.

'schoolgeld ⟨het~⟩ geld dat je ouders moeten betalen om jou naar school te laten gaan ● *ik zou m'n schoolgeld maar terughalen!* (uitdr.) (dit zeg je tegen iemand die niet veel weet).
'schooljaar ⟨het~; -jaren⟩ periode van augustus tot augustus ⇒ *leerjaar* ● *het schooljaar 1987-1988.*
'schoolmeester ⟨de~ (m.); -s⟩ **1** iemand die les geeft op een basisschool ⇒ *onderwijzer, meester* **2** iemand die alles beter denkt te weten en die anderen steeds terechtwijst ⇒ *frik.*

Uit: Van Dale, *Basiswoordenboek van de Nederlandse taal 1987.*

Het lidwoord: de, het, een, ϕ

bepaald: de en het
De film heet 'Ghandi'.
De Albert Cuypmarkt is in Amsterdam.

Het weekend van 9 en 10 april ga ik naar Parijs.
Het concert van Leonard Bernstein is vanavond.

onbepaald: een, ϕ
We gaan een weekend naar Parijs.
Jacques heeft geen zin om naar een concert te gaan.

Heb je trek in een broodje?
Zal ik kaartjes bestellen?

Ontkenning: *niet*

Let op de plaats van *niet*

I   *Na het werkwoord.*

Ik	werk	niet.
Je	komt	niet.

2   *Na: morgen, vandaag, enzovoort.*

(time)

Hij	kan	morgen	niet.
Mevrouw Zwart	werkt	vandaag	niet.

Vraagwoorden — *hoeveel = how many ?*

hoe	— Hoe heet je? — Monique.	— Hoe gaat het? — Goed.
waar	— Waar woon je? — In Utrecht.	— Waar kom je vandaan? — Uit Turkije.
wat	— Wat is je naam? — René.	— Wat zullen we doen? — Laten we naar de film gaan.
wie	— Wie is dat? — Dat is Wim de Bie.	— Wie zijn dat? — Mies, Wil en Tiny
wanneer	— Wanneer ga je naar Parijs? — Volgende week.	— Wanneer gaan we naar de film? — Zaterdag.
welk(e)	— Welke dag is het vandaag? — Donderdag.	— Op welk nummer woon je? — Op nummer 186.

D ▨ **12 Dagen, maanden, seizoenen**

dagen	maandag	*maanden*	januari	juli
	dinsdag		februari	augustus
	woensdag		maart	september
	donderdag		april	oktober
	vrijdag		mei	november
	zaterdag		juni	december
	zondag			

Er zijn vier *seizoenen* in Nederland:

de **lente**

de **zomer**

de **herfst**

de **winter**

29

TONEEL
'De Fantast' door Herb Garner
donderdag 24 maart
20.15 uur

**MUSEUM
EN GALERIE**
Flory Italianer

FAMILIECONCERT
Borodin Trio — Concertzaal
zaterdag 6 maart
14.00 uur

DANS
'Op het lijf geschreven'
Alexandra Radius
en Han Ebbelaar
vrijdag 8 januari
20.15 uur

F

de avond	de kantine	morgenochtend	vanmorgen
— 's avonds	de koffie	de nacht	vannacht
bestellen	kopen	— 's nachts	vanochtend
het broodje	laten	niet	veel
het concert	lekker	de ochtend	volgend
de dag	de lente	— 's ochtends	wanneer
dan	leuk	overdag—_during the day_	de week
danken	de maand	het park	het weekend
doen	maken	de school	wel
drinken	— hoe maakt u het?	het seizoen	het werk
ergens	de markt	de stad	weten
de film	meegaan _(to come along, separable verb)_	thuisblijven	willen
gaan	de meneer	de trek	de winter
goed	de mens	— trek hebben in	zien
graag	de middag	uitgaan	— tot ziens
hebben	— 's middags	uitnodigen	de zin
heel	misschien	uitstekend	— zin hebben
de herfst	de morgen	het uur	(om ... te ...)
het huis	morgen	vanavond	de zomer
jarig	— 's morgens	vandaag	zullen
het kaartje	morgenavond	vanmiddag	

3 Ja, lekker!

A o-o 1 Thuis

Joop	Wil je iets drinken?
Mariska	Ja, lekker.
Joop	Wil je koffie of thee?
Mariska	Ik heb liever een kopje koffie.
Joop	Met melk en suiker?
Mariska	Alsjeblieft.

o-o 2 In een coffeeshop

Ober	Meneer, mevrouw?
Juan	Voor mij een tonic, graag.
Ober	Met ijs en citroen?
Juan	Alstublieft.
Ober	En u?
Lies	Hebt u appelsap?
Ober	Natuurlijk, mevrouw.
Lies	Mag ik dan een appelsap van u?
Ober	Een tonic en een appelsap.

31

o-o **3** **In een café**

Carla	Mogen we bestellen?
Ober	Ik kom zo bij u, mevrouw.
Carla	Wat nemen jullie?
Tineke	Een spa.
Carla	En jij?
Sjef	Ik neem een broodje.
	Of nee, liever een tosti.
Carla	Heb je honger?
Sjef	Ja, jij niet?
Carla	Nee, ik heb dorst.
	Geef mij maar een pilsje.
Ober	Zegt u het maar.
Carla	Een spa, een tosti en een pils, alstublieft.
Ober	Tosti ham/kaas?
Sjef	Alstublieft.

what will it be?

Naar wensen vragen

Wilt u/Wil je iets ...?	— Wil je iets drinken?
	— Ja, lekker.
Wat wilt u/wil je ...?	— Wat wil je, koffie of thee?
	— Ik heb liever een kopje koffie.
En u/jij?	— En u?
	— Hebt u appelsap?
Meneer/Mevrouw?	— Meneer, mevrouw?
	— Voor mij een tonic, graag.
Zegt u het maar.	— Zegt u het maar.
	— Een spa, een tosti en een pils, alstublieft.

Bestellen

..., graag.	— Meneer, mevrouw?
	— Voor mij een tonic, graag.
..., alstublieft/alsjeblieft.	— Zegt u het maar.
	— Een spa, een tosti en een pils alstublieft.
Hebt u/Heb je ...?	— En u?
	— Hebt u appelsap?
Mag ik ...?	— Mevrouw?
	— Mag ik een appelsap van u?

Woordvolgorde: de enkelvoudige zin

Basisstructuur

Eerste plaats	Finiet werkwoord	Onderwerp	Rest	Infiniet werkwoord
	Wil	je	iets	drinken?
	Kunnen	we		bestellen?
Wat	willen	jullie		drinken?

B `o-o` **4** **In een restaurant**

Max	Goedenavond, kunnen we hier eten?
Ober	Hebt u gereserveerd?
Max	Nee.
Ober	Dan moet u even wachten.
Max	Wat doen we?
Willy	Het maakt mij niet uit.
	Zeggen jullie het maar.
Daan	Zullen we wachten?
Olga	Ja, goed.
Ober	Gaat u maar even aan de bar zitten.

Ober	Wilt u misschien iets drinken?
Olga	Zullen we een fles wijn nemen?
Willy	Ja, lekker.
Ober	Rood of wit?
Olga	Eh, rood, graag.
	Max, rood, hè?
Max	O, dat geeft niet, hoor. —*sure, no problem*
Olga	Ja, doet u maar rood.
Daan	Mogen we ook de kaart?
Ober	Alstublieft, de wijn en de menukaart.
Daan	Dank u.

Voorkeur hebben

Ik ... liever ...	— Wil je koffie of thee?
	— Ik heb liever thee.
Geef mij maar ...	— Heb je honger?
	— Nee, ik heb dorst. Geef mij maar een pilsje.

Geen voorkeur hebben

Het maakt (mij) niet uit.	— Wat doen we?
	— Het maakt mij niet uit.
Het geeft niet.	— Max, wil je rood of wit?
	— O, dat geeft niet.

C ⊙-⊙ **6** **Een menu kiezen**

Max	Proost!
Olga, Willy, Daan	Ja, proost!
Willy	Wat nemen jullie?
Daan	Ik weet het niet.
	Hebben ze hier een dagschotel?
Olga	Even vragen.
	Hebt u een dagschotel?
Ober	Ja, vis met friet en sla.
Max	Wat voor vis?
Ober	Kabeljauw, heerlijk, meneer.
Max	Zullen we dat doen?
Ober	Vier dagschotels?

⊙-⊙ **7** **Aan tafel**

Daan	Wat vinden jullie van de wijn?
Max	Zoet, vind je niet?
Daan	Ja, ik vind hem te zoet.
Willy	O, ik houd wel van zoet.
Olga	Daar komt het eten aan.
Ober	Alstublieft, vier dagschotels.
Olga	Dank u wel. - Thanks a lot.
Ober	Eet u smakelijk.
Willy, Olga, Daan	Bedankt.

Positief beoordelen

> **(Het/Dat is) goed/lekker/leuk/heerlijk, enzovoort.**
> **Ik vind ... goed/lekker/leuk/heerlijk, enzovoort.**
> **Ik houd van ...**
>
> — Kabeljauw met friet en sla, is dat lekker?
> — Dat is heerlijk.
>
> — Wat vind je van de wijn?
> — Ik vind de wijn lekker.
>
> — De wijn is zoet, hè?
> — Nou, ik houd wel van zoet.

Negatief beoordelen

> **(Het/Dat is) niet (zo) goed/lekker/leuk, enzovoort.**
> **Ik vind ... niet (zo) goed/lekker/leuk, enzovoort.**
> **Ik vind ... te ...**
> **Ik houd niet van ...**
>
> — Hoe vind je het eten?
> — Niet zo lekker.
>
> — Smaakt de kabeljauw?
> — Nee, ik vind de kabeljauw niet zo lekker.
>
> — Wat vind je van de wijn?
> — Ik vind de wijn te zoet.
>
> — Drink je veel thee?
> — Nee, ik houd niet van thee.

Bedanken

> **Dank u/je.** — Alstublieft, de wijn en het menu.
> — Dank u.
>
> **Dank u/je wel.** — Alstublieft, vier dagschotels.
> — Dank u wel.
>
> **Bedankt.** — Eet u smakelijk.
> — Bedankt.

Het persoonlijk voornaamwoord: we/wij, u, jullie, ze/zij

Meervoud

1 we
contrast: **wij** — Zullen we een fles wijn nemen?
— Ja, lekker.

2 formeel: u — We wachten even.
— Goed, gaat u maar even aan de bar zitten.

informeel: **jullie** — Hebben jullie geen honger?
— Nee, wij niet.

3 ze — Hebben ze hier een dagschotel?
— Even vragen.

contrast: **zij** — Drinken jullie koffie?
— Nee, wij drinken water, zij koffie.

Het werkwoord: meervoud

	eten			drinken		
1	We/Wij	**eten**	friet.	We/Wij	**drinken**	koffie.
2	U	**eet**	hier lekker.	U	**drinkt**	wijn.
	Jullie	**eten**	veel.	Jullie	**drinken**	thee.
3	Ze/Zij	**eten**	kabeljauw.	Ze/Zij	**drinken**	niet.

Smaken verschillen

Smaken verschillen. Jan drinkt wel acht glazen bier per dag, Toos
houdt niet van alcohol. Zij drinkt graag thee met citroen. De
lievelingsdrank van Rita is tonic, maar Carla vindt dat te bitter. Zij
neemt liever een glas rode wijn. 'Veel te zoet', zegt de man van Carla,
'geef mij maar jenever. 's Avonds neem ik twee borrels, dan slaap ik
lekker.' En de kinderen? 'Die zijn nog te jong voor alcohol. Zij nemen
iets fris: spa, cola, appelsap of zoiets.'
Wim eet 's morgens graag een boterham met jam of hagelslag. Maar
Annie houdt meer van zuur en zout. Zij heeft liever kaas of vlees op
brood. En als Wim een lekker ijsje koopt, loopt Annie naar de visboer
voor een haring. Smaken verschillen.

Het bijvoeglijk naamwoord: lekker — lekkere

> ### Rood en *lekker* zijn bijvoeglijke naamwoorden.
>
> — Zijn die wijnen ook rood? — Is het ijsje lekker?
> — Ja, mevrouw. — Ja, heerlijk.
>
> ### Let op de vorm van het bijvoeglijk naamwoord vóór het zelfstandig naamwoord:
>
> | | de-woorden | het-woorden |
> |---|---|---|
> | enkelvoud | de rode wijn | het lekkere ijsje |
> | | een rode wijn | een lekker ijsje |
> | meervoud | de rode wijnen | de lekkere ijsjes |
> | | rode wijnen | lekkere ijsjes |
>
> Let op: welke wijn? maar: welk ijsje?
>
> Carla neemt een glas rode wijn.
> Wim koopt een lekker ijsje.

Ontkenning: niet

> ### Let op de plaats van *niet*.
>
> I *Vóór een bijvoeglijk naamwoord:* 2 *Vóór een voorzetsel:*
>
> Het eten is niet lekker. Toos houdt niet van alcohol.
> De wijn is niet zoet. Ik houd niet van vis.
> Ik vind de film niet leuk.

U BELT EN WIJ BEZORGEN
to deliver

020-163070

PIZZE

CALZONE
Dubbelgevouwen pizza, tomaten, kaas,
ham, salami, champignons en uien   *f* 13,50
VEGETARIANA
Tomaten, kaas, champignons, paprika,
artisjokken en uien   ,, 12,00
MARGERITHA
Tomaten en kaas   ,, 7,50
NAPOLITANA
Tomaten, kaas en ansjovis   ,, 11,00
BOROMEA
Tomaten, kaas en ham   ,, 10,00
SICILIANA
Tomaten, kaas, ansjovis en olijven   ,, 12,00
VENEZIANA (specialiteit)
Tomaten, kaas, tonijn, ansjovis,
calamare en mosselen   ,, 16,00
QUATTRO STAGIONI
Tomaten, kaas, champignons, ham
salami, uien en artisjokken   ,, 12,50
ITALIA
Tomaten, kaas, ham, salami, paprika,
champignons, artisjokken en ei   ,, 14,00
PEPERONI
Tomaten, kaas en paprika   ,, 10,00
PRIMAVERA
Tomaten, kaas en artisjokken   ,, 12,00
TONNO
Tomaten, kaas en tonijn   ,, 12,00
SALAMI
Tomaten, kaas en salami   ,, 10,00

PASTE

SPAGHETTI ALLA CARBONARA
Ham, slagroom en ei   *f* 12,50
SPAGHETTI NAPOLITANA
Tomatensaus   ,, 8,00
SPAGHETTI BOLOGNA
Vlees in tomatensaus   ,, 10,00
SPAGHETTI ROMA (specialiteit)
Kalfsvlees in tomatensaus en
champignons   ,, 12,50
SPAGHETTI ITALIA (specialiteit)
Uien, paprika, champignons,
pittige saus en slagroom   ,, 12,50
SPAGHETTI AGLIO OLIO
Knoflook in olie   ,, 9,00
LASAGNA (specialiteit)
Plakken deeg gevuld met salami, ham,
bolognesesaus, baciamella en ei   ,, 12,00
CANNELONI
Deegrollen gevuld met vlees in
tomatensaus   ,, 12,00
TORTELLINI ALLA PANNA
Slagroomsaus   ,, 12,00
TORTELLINI BOLOGNESE
Vlees in tomatensaus   ,, 12,00
MACARONI
4 soorten Italiaanse kaassaus   ,, 12,00

BEZORGEN VAN
16.00 TOT 23.00 UUR

F

aankomen
de alcohol
alsjeblieft
alstublieft
de appelsap
bedanken
het bier = de pils
bitter
de borrel
de boterham — slice of bread
het brood
de citroen
de coffeeshop
de cola
daar (≠ hier)
de dagschotel — daily special
de dorst
eten
het eten — flessen (pl.)
de fles — bottle
de friet — patates frites
fris — non-alcoholic drink
geven — to give
chilly (weather)

het glas / pl. glazen
de hagelslag — chocolate sprinkles
de ham
de haring
heerlijk = delicious
hier
de honger
houden van = to like, love
het ijs — ice, icecream
het ijsje — ice-cream
de jam (chem.)
de jenever
jong
de kaart
de kaas
de kabeljauw
kiezen — to choose, ik kies
het kind, de kinderen
het kopje — cup
de lievelingsdrank
liever (≠ graag) — comparative of
lopen — to walk
de man

meer (< veel)
de melk — milk
het menu
de menukaart — en (pl)
moeten — to have to
natuurlijk
nemen
de ober
de pils
het pilsje
reserveren
het restaurant
rood
de sla — lettuce, salad
slapen — to sleep
de smaak — taste
smakelijk — tasty
smaken — to taste
de spa — mineral water
de suiker — sugar
de tafel
de thee
thuis — at home

de tonic
de tosti —
uitmaken
— het maakt niet uit — it's all the same to me
verschillen — to differ
vinden — to find, wonder
de vis — fish
de visboer
het vlees
vragen
wachten — to wait
het water
de wijn
wit — white
zeggen — to say
zitten — to sit
zo — in a moment
zoet — sweet
zout — salty
zuur — sour

4 Wat bedoelt u?

what do you mean?

A ▢ 1 Met de taxi

Mieke Smeets	Ik wil graag naar de Van Goghstraat.
Taxichauffeur	Pardon?
Mieke Smeets	De Van Goghstraat.
Taxichauffeur	In welke buurt is dat?
Mieke Smeets	In de Schilderswijk.
Taxichauffeur	Welke wijk?
Mieke Smeets	De Schilderswijk.
Taxichauffeur	O ja, stapt u maar in.

verb "to go" gen. left out

uit
instappen — to step in
(separable verb

makes it polite

▢ 2 Onderweg in de taxi

Taxichauffeur	Waar moet u zijn in de Van Goghstraat?
Mieke Smeets	Wat zegt u?
Taxichauffeur	Op welk nummer moet u zijn in de Van Goghstraat?
Mieke Smeets	O, op 43.
Taxichauffeur	Is dat bij de bioscoop?
Mieke Smeets	Ik versta u niet.
Taxichauffeur	Nummer 43, is dat bij de bioscoop?
Mieke Smeets	O, Cinematic bedoelt u. Ja, dat is naast de bioscoop.

Where do have to

I can't hear he

next

40

Zeggen dat je iemand niet verstaat

Pardon/Sorry? *nog een keer?*	— Ik wil graag naar de Van Goghstraat. — Pardon?
Wat zegt u?	— Waar moet u zijn in de Van Goghstraat? — Wat zegt u?
Ik versta u niet.	— Is dat bij de bioscoop? — Ik versta u niet.

B o-o 3 In een coffeeshop

Nils	We willen graag iets eten.
Serveerster *That's possible*	Dat kan, meneer. We hebben soep: tomatensoep, groentesoep, champignonsoep.
Nils	Niet zo snel, alstublieft.
Serveerster	En we hebben broodjes: ham, kaas, rosbief, lever, salami, ei en croquet.
Eva	Sorry, maar kunt u wat langzamer praten?
Serveerster	En verder tosti's en uitsmijters.
Agneta	Een uitsmijter? Wat is dat? *slice of ham*
Serveerster	Een uitsmijter is een boterham met een gebakken ei en ham. *(in reality 3 slices + 3 eggs)* *fred egg (vs gekocht-boiled)*
Nils	Kunt u nog een keer zeggen welke broodjes u hebt?
Serveerster	Kaas, ham, rosbief, lever, salami, ei en croquet.
Eva	Ik neem een uitsmijter.
Agneta	Ja, ik ook.
Nils	Ja, voor mij ook, graag.
Serveerster	Drie uitsmijters.
Agneta	En hebt u ook een asbak voor ons?
Serveerster	Ja, een ogenblik. *just a second*

Zeggen dat iemand te snel praat

Niet zo snel, alstublieft/alsjeblieft.
Kunt u/Kun je wat langzamer praten?
Kunt u/Kun je dat nog een keer zeggen?

— We hebben soep: tomatensoep, groentesoep, champignonsoep.
— Niet zo snel, alstublieft.

— En we hebben broodjes: ham,kaas, rosbief, lever, salami, ei en croquet.
— Sorry, maar kunt u wat langzamer praten?

— Kunt u nog een keer zeggen welke broodjes u hebt?
— Ham, kaas, rosbief, lever, salami, ei en croquet.

Het persoonlijk voornaamwoord: alle vormen

Zonder accent		**Met accent**	
onderwerp	niet-onderwerp	onderwerp	niet-onderwerp
1 ik	**me**	1 ik	**mij**
2 u	**u**	2 u	**u**
je	**je**	jij	**jou**
3 hij	**hem** [əm]	3 hij	**hem**
ze	**haar** [ər/dər]	zij	**haar**
het	**het** [ət]		
1 we	**ons**	1 wij	**ons**
2 u	**u**	2 u	**u**
jullie	**jullie**	jullie	**jullie**
3 ze	**ze**	3 zij	**hen/hun**

(handwritten annotations: "object" above niet-onderwerp; "for things" near ze; "for direct object" and "after a prep. for indirect object" and "only used for people" near hen/hun)

Gebruik van het persoonlijk voornaamwoord als niet-onderwerp

a *als lijdend voorwerp of* *(direct / indirect)*
als meewerkend voorwerp

— Verstaat u me?
— Nee, ik versta u niet.

— Hoe vind je het?
— Ik vind het niet lekker.

— Wil je koffie of thee?
— Het maakt me niet uit.

b *na een voorzetsel* *(after a prep.)*

— Hoe gaat het met je?
— Goed, en met jou?

— Ik neem een uitsmijter.
— Ja, voor mij ook, graag.

— Hebt u een asbak voor ons?
— Ja meneer, een ogenblik.

Bob Hafkamp	Ik wil graag twee kaarten voor Het Nederlands Danstheater.
Caissière	Voor welke voorstelling?
Bob Hafkamp	Voor donderdagavond.
Caissière	Kunt u wat harder praten?
Bob Hafkamp	Donderdagavond.
Caissière	Donderdag is alles uitverkocht, meneer.
Bob Hafkamp	En op andere dagen?
Caissière	Ik heb nog wel een paar plaatsen voor u op 27, 28 en 30 oktober of op 3 en 4 november.
Bob Hafkamp	Kunt u dat nog een keer zeggen?
Caissière	Op 27, 28 en 30 oktober of op 3 en 4 november.
Bob Hafkamp	Hm, wanneer hebt u de beste plaatsen?
Caissière	Op 28 oktober.
Bob Hafkamp	Wat kosten die?
Caissière	Dertig gulden per persoon.
Bob Hafkamp	Wat duur!
Caissière	Ja, de beste plaatsen zijn natuurlijk ook het duurst.
Bob Hafkamp	Hebt u ze niet een beetje goedkoper?
Caissière	Dan krijgt u de slechtste plaatsen, voor vijftien gulden.
Bob Hafkamp	Nee, doet u maar twee van dertig.
Caissière	Dat wordt dan zestig gulden.

Zelfstandige naamwoorden krijgen in het meervoud *-en* of *-s*

1   -s
Een woord krijgt in het meervoud een *-s* als het woord twee of meer lettergrepen heeft en eindigt op *-el*, *-em*, *-en*, *-er*, *-je*, of op *-a*, *-i*, *-o*, *-u*, *-y*.

2   -en
Andere woorden krijgen in het meervoud *-en*.

2 or more syllables + ends in (handwritten)
→ 's (handwritten)

enkelvoud	meervoud	enkelvoud	meervoud
de app**el**	de app**els**	de voorstelling	de voorstelling**en**
de guld**en**	de guld**ens**	de straat	de strat**en**
de ob**er**	de ob**ers**	de citroen	de citroen**en**
het kop**je**	de kop**jes**	de pen	de pen**nen**
de tost**i**	de tost**i's**		
het menu	de men**u's**		

not pl w/ number is gulden (handwritten)
(oen ≠ en) (handwritten)
? (handwritten)

De vormen van het meervoud staan in het woordenboek.

'**bladvulling** ⟨de~ (v.); -en⟩ een minder belangrijk stuk tekst of een tekening om een bladzijde op te vullen.
'**bladwijzer** ⟨de~ (m.); -s⟩ strook van papier, leer enz. die je in een boek kunt leggen op de plaats waar je gebleven bent ⇒ *boekelegger*.
'**bladzijde**, '**bladzij** ⟨de~; -n⟩ 1 één kant van een blad uit een boek, tijdschrift enz. ⇒ *pagina ● sla allemaal je boek open op bladzijde veertien* 2 ieder blad uit een boek, tijdschrift enz..

'**blaffen** ⟨blafte, heeft geblaft⟩ 1 *(van honden)* 'waf waf' roepen 2 hard hoesten omdat je ziek of verkouden bent.
'**blaffer** ⟨de~ (m.); -s⟩ *(populair)* pistool.
'**blaken** ⟨blaakte, heeft geblaakt⟩ 1 gloeien, hitte uitstralen ● *blakende vlammen* 2 *(van mensen) blaken van ijver, enthousiasme enz.* heel erg ijverig, enthousiast enz. zijn.
'**blaker** ⟨de~ (m.); -s⟩ ouderwetse kandelaar op een soort schoteltje met een oor eraan.
'**blakeren** ⟨blakerde, heeft geblakerd⟩ *iets blakeren* het ver-

Uit: Van Dale, *Basiswoordenboek van de Nederlandse taal.*

Vergelijking: hard — harder — hardst

comparative (handwritten)

1 Vergrotende trap: + -(d)er
hard	– harder	Kunt u wat harder praten?
langzaam	– langzamer	Kunt u wat langzamer praten?
duur	– duurder	Welke kaarten zijn duurder?

d added if adj. ends in an -r (handwritten)
superlative (handwritten)

2 Overtreffende trap: + -st(e)
superlative requires the definite article. (handwritten)

hard	– hardst	Hij praat het hardst.
duur	– duurst	Ze kopen de duurste plaatsen.

3 Onregelmatige vormen
goed	– beter	– best	De beste plaatsen zijn het duurst.
graag	– liever	– liefst	Ga je mee of blijf je liever thuis?
veel	– meer	– meest	Heeft u nog meer plaatsen?
weinig	– minder	– minst	De slechtste plaatsen kosten het minst.

ver - verder - het verst (handwritten)

Colporteur	Dag mevrouw, mag ik u iets vragen?
Helga de Kam	Natuurlijk.
Colporteur	Leest u veel?
Helga de Kam	Nou, veel, wat is veel?
Colporteur	Leest u meer dan vier boeken per jaar?
Helga de Kam	Ja, maar wat bedoelt u?
Colporteur	Ik heb een interessante aanbieding voor u van de E.N.B.
Helga de Kam	Wat betekent dat, E.N.B.?
Colporteur	De E.N.B. is de Eerste Nederlandse Boekenclub.
Colporteur	U kunt bij ons goedkoop boeken kopen.
Helga de Kam	Nee, dank u, ik heb geen belangstelling.
Colporteur	Een woordenboek kost bij ons geen vijftig gulden, maar vijfentwintig gulden.
Helga de Kam	Ja, maar ik heb geen belangstelling.
Colporteur	Een woordenboek voor de helft van de prijs! En het volledige werk van Mulisch voor maar honderd gulden.
Helga de Kam	Nee, echt niet. Ik heb geen interesse.
Colporteur	Als u nu lid wordt, mag u drie boeken voor een tientje uitzoeken.
Helga de Kam	Dank u, maar ik ben niet geïnteresseerd.

Vragen om uitleg

Wat bedoelt u/bedoel je?	— Leest u meer dan vier boeken per jaar?
	— Ja, maar wat bedoelt u?
Wat betekent dat?	— Ik heb een interessante aanbieding voor u van de E.N.B.
	— Wat betekent dat, E.N.B.?
Wat is dat?	— Verder hebben we tosti's en uitsmijters.
	— Een uitsmijter, wat is dat?

Geen belangstelling hebben

Ik heb geen belangstelling.
Ik heb geen interesse.
Ik ben niet geïnteresseerd.

— U kunt bij ons goedkoop boeken kopen.
— Nee, dank u, ik heb geen belangstelling.

— Een woordenboek voor de helft van de prijs!
— Nee, ik heb geen interesse.

— Als u nu lid wordt, mag u drie boeken voor een tientje uitzoeken.
— Dank u, maar ik ben niet geïnteresseerd.

Ontkenning: geen

Ontkenning bij een onbepaald (een, ø) zelfstandig naamwoord: geen.

1 een
— Heeft Anne een kaart voor het concert van Prince?
— Nee, ze heeft geen kaart voor Prince.

2 ø
— Hebt u belangstelling voor de Boekenclub?
— Nee, dank u, ik heb geen belangstelling.

— Hebt u nog plaatsen voor donderdagavond?
— Nee meneer, voor donderdagavond heb ik geen plaatsen meer.

6 Vrije tijd

De mens krijgt meer vrije tijd. We werken minder en we krijgen meer vrije uren. Zo hebben we meer tijd voor hobbies. Voor de een betekent dat uitgaan: kunst kijken in een museum, naar de bioscoop, naar een concert of verre reizen maken. Andere mensen brengen hun vrije tijd het liefst met vrienden door. Of ze blijven thuis en luisteren naar muziek, werken in de tuin, lezen een boek of kijken televisie. Weer anderen zoeken hun ontspanning in een club of bij een vereniging. Ze gaan voetballen of tennissen of ze worden lid van een politieke partij als ze zich voor politiek interesseren.

DEZE SCHITTERENDE KLOKRADIO STAAT VOOR U KLAAR

Ja, het is waar. Als u nu lid wordt van ECI krijgt u 3 boeken of platen voor f 10,– en bovendien geheel gratis een moderne klokradio.

Pak uw pen, vul de kaart in en stuur 'm op!

KENNISMAKINGSKAART

Ja, Ik wil voortaan uw boeken, platen, musicassettes en cd's kunnen kopen met grote korting. Ik ben nog geen lid van ECI en ben de laatste 2 jaar ook geen lid geweest. Voor het regelmatig toezenden van de kwartaalgids betaal ik een éénmalige bijdrage van f 5,–. Ik beloof één boek, plaat, musicassette of cd per kwartaal te bestellen en minstens 1 jaar lid te blijven. Ik zeg 3 maanden voor de afloop van een lidmaatschapsperiode op als ik mijn lidmaatschap niet wil verlengen. Als welkomstgeschenk kies ik de volgende 3 titels voor f 10,– + de helft van de verzendkosten (geen geld bijsluiten). Als ik deze kaart binnen 14 dagen instuur, ontvang ik bovendien helemaal gratis de klokradio. Als de boeken, platen of de gids mij niet bevallen, heb ik het recht alles binnen 7 dagen terug te sturen en **mijn aanmelding als lid ongedaan te maken.**

819.318.015

Nummer	Omschrijving
264	GRATIS KLOKRADIO

Dhr./Mevr./Mej.   (Doorhalen wat niet van toepassing is)

Voorletters |__|__|i |__|__| Naam |__|__|__|__|__|__|__|__|

Adres |__|__|__| |__|__|__|__|__|__|__|__| Nr.|__|__|

Postcode |__|__|__|__| |__|__|

Plaats |__|__| |__|__|__|__|__|__|

Tel.nr. |__|__| |__|__| |__|__|__| Geb.datum |__|__| |__|__|__|

Handtekening _____

(Indien minderjarig, dan handtekening van ouder of voogd.)

F

de aanbieding – *offer*
ander – *another*
de appel
de asbak – *ashtray*
bakken – *to bake/fry*
bedoelen – *to intend, mean (w) x*
het beetje – *a little bit*
de belangstelling – *desire, interest*
betekenen – *to mean*
beter (< goed) – *(v. abbrev) better*
de bioscoop – *cinema*
het boek – *book*
de boekenclub – *book club*
de buurt – *neighborhood (volksbuurt)*
de caissière – *cashier*
de champignonsoep – *mushroom soup*
de club
de colporteur – *door-to-door street sales man*
de krokhet = de croquet
de donderdagavond
doorbrengen – *to pass*
duur – *expensive (time)*
echt – *real*
het ei
goedkoop – *cheap*

de groentesoep – *vegetable soup*
de gulden
hard – *hard (not difficult) tough (chaos), loud*
de helft
de hobby
instappen
interessant
de interesse
zich interesseren
  voor – *to be interested in*
het jaar
de kassa
de keer – *time, turn*
kijken – *to watch, look naar*
kosten – *costs (price)*
krijgen – *to get*
de kunst – *art*
langzaam – *slowly*
de lever – *liver*
lezen – *to read*
het lid – *member*
liefst (< graag) – *superlative*
luisteren – *to listen naar*
meest (< veel) – *superlative*
minder (< weinig) – *comparative*

minst (< weinig)
het museum
de muziek
het ogenblik – *a moment*
onderweg – *underway*
de ontspanning – *amusement*
het paar – *a couple (momenstch)*
— een paar – *a few, a couple of*
de partij – *pol. party*
de pen
de persoon
de plaats – *place*
de politiek
politiek – *politics*
praten – *to talk, speak over*
de prijs – *price*
de reis – *trip*
de rosbief
de salami
de serveerster – *waitress*
slecht – *bad*
snel
de soep
de taxi
de taxichauffeur – *taxi driver*

de televisie
tennissen – *to play tennis*
het theater – *theater, cabaret*
het tientje – *a 10-guilder note*
de tijd – *time*
de tomatensoep
de tuin – *garden*
de uitsmijter
uitverkocht
uitzoeken – *to choose*
ver – *far/long*
verder – *further, also*
de vereniging – *club, association*
verstaan
voetballen – *to play football*
volledig – *complete*
de voorstelling – *show, performance*
vrij – *free, not busy*
weer – *yet again, yet*
weergeven – *to broadcast*
weinig – *little*
de wijk – *district (larger than buurt)*
het woordenboek – *dictionary*
worden – *to become*
zoeken – *to look for*

47

5 Anders nog iets?

A ○–○ 1 **In een groentewinkel**

Groenteboer	Wie is er aan de beurt?
Mevrouw Van Zanden	Ik. Mag ik een kilo druiven?
Groenteboer	Wilt u witte of blauwe?
Mevrouw Van Zanden	Hoe duur zijn ze?
Groenteboer	De witte zijn f 1,98 een kilo
	en de blauwe f 2,25.
Mevrouw Van Zanden	Zijn de witte zoet?
Groenteboer	Ja mevrouw, ze zijn heerlijk.
Mevrouw Van Zanden	Geeft u daar maar een kilo van.
Groenteboer	Anders nog iets?
Mevrouw Van Zanden	Twee paprika's.
Groenteboer	Rood, geel of groen?
Mevrouw Van Zanden	Rode graag.
Groenteboer	Dat was het?
Mevrouw Van Zanden	Ja.
Groenteboer	Dat is dan f 3,96 bij elkaar.
Mevrouw Van Zanden	Alstublieft.
Groenteboer	Vier, vijf en dat is tien.
Mevrouw Van Zanden	Dank u wel.

Naar wensen van klanten vragen en reactie

Wie is er aan de beurt?	— Wie is er aan de beurt?
Ik.	— Ik. Mag ik een kilo druiven?
Zegt u het maar. *=Zeg het maar.*	— Zegt u het maar, mevrouw.
produkt	— Een pond belegen kaas, alstublieft.
Anders nog iets?	— Anders nog iets?
produkt	— Twee paprika's.
Anders nog iets?	— Anders nog iets?
Nee, dank u. (Anders niets.)	— Nee, dank u. Anders niets.
Dat was het?	— Dat was het?
(Ja), (dat was het).	— Ja.
Dat is alles.	— Dat is dan f 3,96 bij elkaar.

Op de Albert Cuypmarkt in Amsterdam

Zeggen wat je wilt kopen

Mag ik *produkt*?	— Mag ik een kilo druiven?
	— Wilt u witte of blauwe?
Ik wil graag *produkt*. *don't use both (everyday A)* *(alstublieft)*	— Ik wil graag drie citroenen.
	— Alstublieft.
***produkt* (graag).**	— Anders nog iets?
	— Twee paprika's; groene graag.

---

1 f, s aan het eind van een woord of voor een medeklinker; *consonant*
   v, z voor een klinker *vowel*

een drui**f**	een kilo drui**v**en
een hal**f** pond	een hal**v**e kilo
Ik blij**f** thuis.	We blij**v**en het weekend thuis.
Jij lee**s**t veel boeken.	Jullie le**z**en 's avonds altijd.

2 in het meervoud en bij het bijvoeglijk naamwoord dat eindigt op
   -e verdubbelt de medeklinker na [a], [o], [e], [u] of [i]

pl. + in case of adj. ending w/ an consonant

een fle**s**	twee fle**ss**en
de boterha**m**	drie boterha**mm**en
Je wi**l**t groente kopen.	We wi**ll**en geen druiven.
Wat ze**g** je?	Ze ze**gg**en niets.
Deze wijn is wi**t**.	De wi**tt**e wijn.

two vowels = long vowel   en [aa]

3 de klanken [oo], [ee] en [uu] worden in een open lettergreep
   (= eindigt op een klinker) geschreven als a, o, e, u en in een
   gesloten lettergreep als aa, oo, ee, uu

De paprika is r**oo**d.	Een r**o**de paprika.
Die paprika's zijn g**ee**l.	Hebt u g**e**le paprika's?
een tom**aa**t	een pond tom**a**ten
wijn is z**uu**r	z**u**re wijn
Hij vr**aa**gt niets.	Zij vr**a**gen de groenteboer iets.
Ze **ee**t een boterham.	Wat **e**ten jullie?

words that end

4 woorden die eindigen op a, o, u en i krijgen in het meervoud -a's,
   -o's, -u's en -i's

en y

een tosti	twee tosti's
een paprika	twee paprika's
een menu	twee menu's
een baby	*twee baby's*

Verkoopster	Goedemorgen.
Fernando Quiros	Goedemorgen mevrouw.
	Verkoopt u sportschoenen?
Verkoopster	Ja hoor. Welke maat heeft u?
Fernando Quiros	Maat 40.
Verkoopster	Ik zal even iets voor u halen. Hoe vindt u deze?
Fernando Quiros	O, wel aardig.
Verkoopster	En die?
Fernando Quiros	Die vind ik leuker.
Verkoopster	Trekt u ze maar even aan. Zitten ze goed?
Fernando Quiros	Ze zijn een beetje smal.
	Heeft u ze misschien een maat groter?
Verkoopster	Nee, ik heb ze niet groter.
Fernando Quiros	O, wat jammer.
Verkoopster	Ik heb hier nog wel een ander paar, maat 41.
	Probeert u die eens.
Fernando Quiros	Die zitten veel beter.
Verkoopster	En hoe vindt u ze?
Fernando Quiros	Ik vind ze niet zo mooi.
	Die andere zijn mooier.
	Maar deze zitten het lekkerst.
	Wat kosten ze eigenlijk?
Verkoopster	f 59,75.
Fernando Quiros	O, dat valt mee.
	Doet u deze maar.

Marije Imberechts	Meneer?
Verkoper	Zegt u het maar, mevrouw.
Marije Imberechts	Ik zoek een spijkerbroek. Waar kan ik die vinden?
Verkoper	Dan moet u op de eerste verdieping zijn.
Marije Imberechts	Ah, dank u wel.

Marije Imberechts	Mevrouw, is deze groot genoeg voor mij?
Verkoopster	Welke maat draagt u?
Marije Imberechts	Maat 42.
Verkoopster	Dan moet u deze hebben.
Marije Imberechts	Mag ik deze twee even passen?
Verkoopster	Ja, natuurlijk.

Verkoopster	Ze zijn allebei goed, hè?
Marije Imberechts	Nee, ik vind deze niet goed; hij is te lang. Ik neem die andere.

Positief beoordelen *see p. 36 also*

Wel aardig.	— Hoe vindt u deze schoenen? — Wel aardig.
Het/Dat valt mee.	— Wat kosten ze? — f 59,75. — O, dat valt mee.

Negatief beoordelen

Te + *bijvoeglijk naamwoord* *(adj.)*	— Zitten de schoenen goed? — Ze zijn een beetje te smal.
O, wat jammer.	— Hebt u ze niet groter? — Nee. — O, wat jammer.

Voorkeur hebben *(preference)*

Geeft/Doet u die/deze maar. *(give me)*	— Welke schoenen wilt u? — Doet u die maar.
Geeft/Doet u maar *produkt*	— Wilt u witte of blauwe druiven? — Geeft u maar een kilo blauwe.
Mooier, het mooist, enzovoort. *(in the predicative use always w/ het)*	— Hoe vindt u ze? — Ik vind die andere mooier. Maar deze zitten het lekkerst.

Het aanwijzend voornaamwoord: deze, dit, die, dat.

(~ I pl use: deze + die)

	de*-woorden *(all plurals)*	**het*-woorden**
hier	**deze** ⟷ Probeert u deze broek eens. Deze schoenen zijn te klein.	**dit** Dit menu neem ik.
daar *(farther)*	**die** *(for "de" words)* ⟷ Die kaas is lekker. Die druiven zijn heerlijk.	**dat** *(for "het" words)* Dat boek is goed.

Let op: Deze schoenen zitten lekker, maar die (schoenen) niet.
Die broek is te kort; ik neem deze (broek).

Verkoper	Mevrouw, zegt u het maar.
Mevrouw Geel	Een stuk belegen kaas, alstublieft.
Verkoper	Hoe zwaar mag dat zijn? = How much do you want
Mevrouw Geel	½ Anderhalf pond. = 750 grams
Verkoper	Eh, ietsje meer, mevrouw.
Mevrouw Geel	O, dat geeft niet. = Dat is geen probleem.
Verkoper	Anders nog iets?
Mevrouw Geel	Een pakje boter en tien eieren.
Verkoper	Grote of kleine?
Mevrouw Geel	Doet u maar grote. how much Hoeveel is het?
Verkoper	Dat is dan eh… f 22,35.
Mevrouw Geel	Kunt u f 100,- wisselen?
Verkoper	Hebt u het niet kleiner?
Mevrouw Geel	Nee, ik heb helemaal geen kleingeld.

w/ emphasis, stronger at all

5 Advertentie

Vragen naar de prijs en reactie

Wat kost/kosten ...? — Wat kost die spijkerbroek?
Dat/Die is/Die zijn *prijs*. — Die is f 89,50.

Hoeveel kost/kosten ...? — Hoeveel kost die spijkerbroek?
Prijs. — f 89,50.

Hoe duur is/zijn ...? — Hoe duur zijn die sinaasappels?
Dat/Die kost/Die kosten *prijs*. — Die kosten f 2,98.

(handwritten: kost)
(handwritten: below — 1 word)
(handwritten: 2 words)

Vragen naar het gewicht en reactie

Hoeveel weegt/wegen ...? — Hoeveel weegt dat stuk kaas?
... weegt *gewicht*. — Dat weegt een kilo.

Hoe zwaar is/zijn ...? — Hoe zwaar is dat stuk kaas?
... (is) *gewicht*. — Een kilo.

(handwritten: above — 1 word)
(handwritten: 2 words)

Geld

(handwritten: change)

een stuiver (5 cent)	f 0,05
een dubbeltje (10 cent)	f 0,10
een kwartje (25 cent)	f 0,25
een gulden (100 cent)	f 1,00
een rijksdaalder	f 2,50
een vijfje	f 5,00

(handwritten: n piek, riks; een knaak)

(handwritten: paper money)

een vijfje/een briefje van vijf	f 5,00
een tientje/een briefje van tien	f 10,00
een briefje van 25	f 25,00
een briefje van 50	f 50,00
een briefje van 100	f 100,00
een briefje van 250	f 250,00
een briefje van 1000	f 1000,00

(handwritten: out of circulation)
(handwritten: een joetje)
(handwritten: een geeltje)
(handwritten: een meier)
(handwritten: amsterdam slang)

```
1000  gram  =  een kilo(gram) (1 kg)
 500  gram  =  een pond/een halve kilo
 100  gram  =  een ons
 250  gram  =  een half pond
  50  gram  =  een half ons
```

Uit: Theo van den Boogaard & Wim T. Schippers, *Sjef van Oekel draaft door*. Uitg. Oberon bv, Haarlem.

D   **6**   **Het eten in Nederland**

Het eten in Nederland is wel wat anders dan bij ons. Brood en
aardappelen zijn de basis van veel maaltijden: als ontbijt eten de
Nederlanders brood met thee of koffie, als lunch brood met melk (of
koffie). Alleen 's avonds eten ze warm. Een warme maaltijd bestaat
meestal uit aardappelen, groente en vlees of vis. Soms eet men rijst of
macaroni, maar ook onze Spaghetti Bolognesa en de Pizza Marguerita
komen op Nederlandse tafels voor!
En dan zijn er natuurlijk de toetjes: yoghurt, vla of fruit.
Ze drinken hier: koffie, koffie en nog eens koffie. Bij het ontbijt, om
tien uur 's ochtends, bij de lunch, na de lunch, na het avondeten, in de
pauze van een film of een concert, altijd en overal koffie. Koffie met
suiker en melk, zwarte koffie, maar ook espresso en cappuccino. En het
Nederlandse bier is heerlijk!

Enrico uit Italië

Let Op!!

Spaar de stempels en doe uw voordeel!

De Speciaalzaken van het winkelcentrum „Torenzicht"

Oostrum versmarkt	**Aardappelen-groente-fruit**
Torenzicht 66 - telefoon 02153-86257 - Eemnes	
Kapsalon Dekkers	**Dames en Heren kapper**
Torenzicht 66a - Telefoon 02153-15777 - Eemnes	
Het Wapen van Eemnes	**Slijterij - Wijnkoperij**
Torenzicht 66b Telefoon 02153-86176 - Eemnes	
E. Wassenaar & Zn.	**luxe brood en banket bakkerij**
Torenzicht 66d - Telefoon 02153-13436 - Eemnes	
Slagerij van Hees	**Voor een goed stuk vlees**
Torenzicht 68 - Telefoon 02153-82115 - Eemnes	
Bloemenhuis „Torenzicht"	**Planten en snijbloemen**
Torenzicht 68a - Telefoon 02153-82020 - Eemnes	
Dik Trom	**Café-biljart**
Torenzicht 74 - Telefoon 02153-13279 - Eemnes	
Kleurop	**Verf en hobbywinkel**
Torenzicht 66c - Eemnes	

F

aantrekken
de aardappel
aardig
de advertentie
alleen
altijd
anders
het avondeten
de basis
belegen
bestaan uit
de beurt
— aan de beurt zijn
blauw
de boter
het briefje
de broek
de cappuccino
de cent
dragen
de druif
het dubbeltje

eens
eigenlijk
de espresso
het fruit
geel
genoeg
het gram
groen
de groente
de groenteboer
de groentewinkel
groot
halen
half
helemaal
jammer
de kilo
klein
het kleingeld
kort
het kwartje
lang

de lunch
de maaltijd
de maat
de macaroni
meestal
meevallen
mooi
de Nederlander
Nederlands
het ontbijt
overal
het pakje
de paprika
passen
de pauze
het pond
proberen
de rijksdaalder
de rijst
de schoen
de schoenenwinkel
de sinaasappel

smal
soms
de spijkerbroek
de sportschoen
de stuiver
het stuk
het toetje
de tomaat
de verdieping
de verkoopster
verkopen
de vla
voorkomen
het warenhuis
warm
wegen
wisselen
de yoghurt
zwaar
zwart

6 Hoe heet dat ook al weer?

what is that called again? (Remind m...)

A ▨ I De etalage van een kledingzaak *winkel*

⊙·⊙ 2   In de stomerij

Simon Vis	Dag, ik kom mijn broek halen.
Bediende	Hebt u de bon?
Simon Vis	Ja, alstublieft.
Bediende	Dank u wel. Nou, ik zie hem niet. Wanneer heeft u hem gebracht?
Simon Vis	Eens kijken … eh …, woensdag, denk ik.
Bediende	Hoe ziet uw broek eruit?
Simon Vis	Ja, eh … hoe moet ik dat zeggen? Gewoon, zwart, met, met, met, met, hoe heet dat, met zo'n, eh … met zo'n plooi.
Bediende	O, een bandplooi bedoelt u. Is dit uw broek?
Simon Vis	Nee, die is het niet.
Bediende	Deze dan misschien?
Simon Vis	Ja, die is het.

59

to reflect (nachdenken)

Nadenken, naar je woorden zoeken

Nou, ...
Eens/Even kijken, ... + Eens even kijken (can use both at once)
Hoe heet dat (ook al weer)? – what was that called again? (forgot)
whats

— Ik kom mijn broek halen.
— Nou, ik zie hem niet.

— Wanneer heeft u de broek gebracht?
— Eens kijken, woensdag, denk ik.

— Hoe ziet uw broek eruit?
— Gewoon, zwart, met hoe heet dat, met zo'n plooi.

Die en dat

refer to a before-mentioned person or
Die en dat kunnen verwijzen naar een eerder genoemde persoon of
thing
zaak

— Zie je Piet en Marja?
— Nee, die zie ik niet.

— Zie je mijn jack?
— Ja, dat hangt daar.

Bij personen en de-woorden: die

— Waar woont Mario?
usually used — Die woont in Rotterdam.
(Hij)

— Is dit uw broek? (de broek)
— Ja, die is het.

Bij het-woorden: dat

— Waar is mijn vest? (het vest)
— Dat heb ik naar de stomerij gebracht.

possessive pronouns

Het bezittelijk voornaamwoord: alle vormen

	Zonder accent		Met accent
1	mijn [mən]	1	mijn
2	formeel: **uw**	2	formeel: **uw**
	informeel: **je**		informeel: **jouw**
3	man: **zijn** [zən]	3	man: **zijn**
	vrouw: **haar** [dər]		vrouw: **haar**

if (het) of (de)

1	ons/onze	1	ons/onze
2	formeel: **uw**	2	formeel: **uw** *— sounds just like "u"*
	informeel: **jullie**		informeel: **jullie**
3	**hun**	3	**hun**

— Dag, ik kom mijn broek halen.
— Hoe ziet uw broek eruit?

3   Prijslijst stomerij

pantalon	f	7,75
rok	f	7,75
blouse	f	7,95
japon	f	8,75
regenjas	f	15,95
jumper	f	5,95
mantel	f	15,95
jack	f	15,95
colbert	f	9,50

Ulla Svensson	Kunt u deze broek veranderen?
Kleermaker	Wat is het probleem, mevrouw?
Ulla Svensson	Hij is te wijd.
Kleermaker	O, dus ik moet hem innemen?
Ulla Svensson	Innemen?
	Zeg je dat zó in het Nederlands?
Kleermaker	Ja, hij is toch te wijd?
	Hoeveel moet ik hem innemen?
Ulla Svensson	Nou, ik weet het niet precies.
	Ongeveer zo'n stukje, denk ik.
Kleermaker	Vijf centimeter?
Ulla Svensson	Zoiets, ja.
Kleermaker	Ik zal het even meten.
	Hè, waar ligt dat ding nu?
Ulla Svensson	Wat zoekt u?
Kleermaker	Mijn centimeter.
	Ah, hier heb ik hem. Ja, vijf, zes centimeter.
Ulla Svensson	Wanneer is hij klaar?
Kleermaker	Morgen. Of liever gezegd morgenmiddag.
Ulla Svensson	Kan het niet eerder?
Kleermaker	Nee, dat lukt niet.
Ulla Svensson	O, dan moet ik iemand anders vragen.
	Mijn vriend komt hem morgenmiddag halen.
Kleermaker	Uitstekend, mevrouw.

Bij het spreken om hulp vragen

Hoe moet ik dat zeggen? *How do I have to say that?*
Hoe zeg je dat (in het Nederlands)? *in Dutch*
Zeg je dat zo (in het Nederlands)?

— Hoe ziet die broek eruit?
— Ja, hoe moet ik dat zeggen? Gewoon, zwart, met zo'n plooi.

— Moet ik de broek innemen?
— Innemen? Zeg je dat zo in het Nederlands?

Iets omschrijven
describe

Zo/Zo'n + gebaar *gesture*	— Hoe ziet de broek eruit? — Gewoon, zwart, met zo'n plooi. — Moet ik de broek innemen? — Innemen? Zeg je dat zo in het Nederlands? — Hoeveel moet ik hem innemen? — Ongeveer zo'n stukje, denk ik.
(Zo)iets/(Zo)iemand *something like that* *someone like that*	— Vijf centimeter? — Zoiets, ja.
Een ding	— Hè, waar ligt dat ding nu? — Wat zoekt U? — Mijn centimeter.

Vragen naar lengte en reactie

Hoe groot/lang is ...? *may imply size (fat, thin etc.)* *preferred form for height*	— Hoe groot is Joop? *not generally used* — Joop is 1.80 meter. — En hoe lang is Astrid? *more usually used* — Astrid is 1.72 meter.
Wat is de lengte (van ...)?	— Wat is de lengte van je kamer? — Mijn kamer is zes meter lang. *en drie meter breed*

Lengtematen

Een kilometer	= duizend meter
Een meter	= tien decimeter
Een decimeter	= tien centimeter
Een centimeter	= tien millimeter

Onbepaalde voornaamwoorden: iets en iemand

Bij dingen: iets	— Wil je iets drinken?
	— Ja, graag.
	— Moet ik de broek vijf centimeter innemen?
	— Zoiets, ja.
Bij personen: iemand	— Kunt u uw broek morgenmiddag halen?
	— Nee, dan moet ik iemand anders vragen.

C o-o 5 In een hakkenbar *— quick service*

Tilly Andringa	Kunt u deze schoenen repareren?
Schoenmaker	Ja, wat mankeert eraan? *what's amiss?*
Tilly Andringa	Nou kijk, de hakken zijn kapot.
Schoenmaker	De hakken?
	U zult de zolen bedoelen, denk ik.
Tilly Andringa	Ja, zei ik hakken? *did I say...?*
	Nee, ik bedoel de zolen.
Schoenmaker	Wilt u ook nieuwe hakken?
Tilly Andringa	Nee, dat hoeft niet. *— that's not necessary*
Schoenmaker	Zeker weten? *— are you sure?*
Tilly Andringa	Nee, dank u, dat is echt niet nodig. *really*
Schoenmaker	Wilt u eh… rubber of leer?
Tilly Andringa	O, geen idee …
	Wat is goedkoper? *— een beetje, een klein beetje*
Schoenmaker	Nou, rubber is iets goedkoper.
	Zal ik rubber doen?
Tilly Andringa	Goed. Hoe lang duurt het? *How long will it take?*
Schoenmaker	Een uurtje, ongeveer. *dim.→ about, approximately*
Tilly Andringa	Nou, tot straks dan. *see you later*
Schoenmaker	Dag, mevrouw.

(handwritten note next to Schoenmaker: w/ accent from Den Haag)

Corrigeren wat je zegt

| **Nee, ik bedoel ...** | — Uw zolen zijn kapot,
niet uw hakken.
— Zei ik hakken?
Nee, ik bedoel de zolen. |
| **... of liever gezegd ...** | — Wanneer is de broek klaar?
— Morgen. Of liever gezegd
morgenmiddag. |

Iets niet weten

| **Ik weet het niet/**
Dat weet ik niet. | — Hoeveel moet ik de broek
innemen?
— Nou, ik weet het niet precies. |
| **Geen idee. (*informeel*)** | — Wilt u rubber of leer?
— O, geen idee. Wat is goedkoper? |

Let op de plaats van *niet*.

I   *Na een lijdend voorwerp*   [handwritten: direct object]

— Hebt u mijn broek?
— Nee, ik zie hem niet.

— Wanneer heeft u die broek gebracht?
— Je weet het niet.

2   *Voor een bijwoord* [handwritten: adverb]

— Hoeveel moet ik de broek innemen?
— Nou, ik weet het niet precies.

— Kan ik de broek niet eerder halen?
— Nee.

D   6   Kleine rampen

Op sommige dagen is er niets aan de hand. Andere dagen vormen een
aaneenschakeling van kleine ongelukken. 's Morgens trek je een
overhemd aan, maar het bovenste knoopje springt los. Je pakt vlug een
ander hemd, want je hebt geen tijd om de knoop vast te naaien. Je
maakt je schoenen vast, maar de veter breekt. Je legt een knoop in de
veter en je hoopt dat hij niet losgaat. In de trein op weg naar je werk
zit je tegenover een vriendelijke man. Maar hij is onhandig en morst
koffie over je broek. Op je knie zit nu een grote, bruine vlek. De man
excuseert zich en jij mompelt 'o, het geeft niet, het is een oude broek'.
Maar van binnen kook je! In de trein is geen water om de broek
schoon te maken. Daarom loop je op je werk meteen naar de
toiletruimte. 'Wat is er met jou?' vraagt een collega. Een ongeluk komt
nooit alleen, zeggen ze wel eens.

magazine "Pia Pia" (handwritten)

□ AANGEBODEN

■ Wollen **damesjas**, lang model, crème kleurig, maat 44, f 50,–. Tevens leren damesjasje, blazermodel, kleur groen, f 35,–, maat 44.

■ **Regenpak** en gevoerde winterjas, maat M, f 25,– per stuk. bel 's morgens tussen 08.00 – 10.00 uur of 's avonds na 23.00 uur.

■ 4 paar All Star **basketbalschoenen** maat 40 ± f 50,– per paar. Rood/zwart/ blauw. Bel 's morgens tussen 8.00 en 10.00 uur of 's avonds na 23.00 uur. Ze zijn zo goed als nieuw.

■ Leren heren **jeansbroek** zwart, maat 38 f 125,–; bel 's morgens tusen 8.00 en 10.00 uur of 's avonds na 23.00 uur.

■ Motomod **winterpak**, tweedelig, maat 48–50. f 150,–.

■ Lange dames **lammi–coat**, maat 36–38, zo goed als nieuw. Anderhalf jaar oud. Prijs f 400,–.

■ Verschillende **avondjaponnen** maat 44, verschillende dames en herenkleding.

■ Diverse nieuwe **damesschoenen** maat 38 t/m 39½ vanaf f 5,–

■ Blauw fluwelen **blazer**, heren, maat 44, f 30,–. Lange zwarte suede mantel, borg gevoerd, afgezet met vossebont, maat 44, f 100,–.

■ Echt leder **motorjack**, medium, f 65,–.

■ **Lammycoat** maat 38, vraagprijs f 450,–.

■ Korte **bontjas**, zo goed als nieuw, lamsbont

■ **Bontjasje**, sneeuwkalfje maat 38/40, f 250,–.

■ Wit **smokingjasje**, maat 52, smokinghemd, zwarte schoenen, maat 43

■ GEVRAAGD

■ Van wie zou ik een sjieke zwarte lange **avondjurk** kunnen lenen of huren voor een galabal 19 en 20 november, maat 36, lengte 1.76 mtr. Moniek.

■ Wie kan mij helpen hetzij gratis, hetzij zeer goedkoop, aan **werkkleding**, maat 50 voor een heer, overalls of overhemd/broek, graag katoen, voor het buitenland (Castricum)

■ Gevraagd mooi en schoon **sinterklaaspak** te leen of te huur voor maandagochtend 5 december a.s.

■ v.Wonderen vraagt kinder–, dames– en herenschoenen voor de laagste prijs voor project in **3e wereld**. (Hilversum)

■ Splinternieuwe dames **lammy–coat** maar zeer exclusief. Gekocht bij Nieuw England voor f 1.600,– helaas te klein gekocht. Maat 40–42, nu f 695,– Echt te geef voor wie hem past. Een juweel van een jas Tel. 020–26 11 13

■ Enkele dames– en herenetalagepoppen (staand en zittend), tevens kinderetalagepoppen. Alles kompleet met pruik en voetplaat.

■ **Bergwandelschoenen** maat 36, f 25,–

■ Prachtige moderne **bruidsjurk**, 2 delig, 7/8e lengte van zijde gemaakt, maat 38, met lange mouwen, f 275,–

■ Gevraagd zwarte rubberen **regenlaarzen**, maat 41 of 42. Dit model werd zo'n 15 jaar geleden gedragen. Kijkt u eens in uw kelder of zolder, wilt u mij dan een kaartje sturen.

■ Gezocht: demontabel **kledingrek**, maat niet belangrijk.

■ Mooi **herenjack** van leer of eventueel stof, liefst een klein beetje kwaliteit maat 50

■ Ik bied nog steeds f 600,– voor een Nederlands **soldatenuniform** uit 1940 (grijze wol, staande kraag) en f 500,– voor een bamboe tropenhoed van het KNIL (Nederlands Indie). Wie zoekt ze op?

F

de aaneenschakeling– *chain reaction*	de handschoen *glove*
al *already*	hangen– *to hang*
de bandplooi *pleated trousers*	het hemd– *undershirt* *shirt*
de bediende– *salesperson servant*	de hoed– *hat*
binnen *place inside*	hoeven– *to be necessary*
— van binnen– *inside*	hopen– *to hope (so)*
de blouse– *blouse*	het idee *idea*
de bon– *receipt*	innemen– *to take in make smaller*
boven *upstairs, above* *place + direction*	het jack– *a short jacket*
breken– *to break*	de japon– *dress*
brengen– *to bring*	de jas– *coat*
bruin– *brown*	de jumper– *sweater*
de ceintuur– *belt (not for trousers)*	de jurk– *dress*
de centimeter– *tape measure*	de kamer
het colbert– *mostly men's jacket (centre vent)*	kapot– *broken (partly + completely)*
de collega– *colleague*	de kilometer
daarom– *therefore, that reason*	klaar– *ready, finished*
de das– *tie*	de kledingzaak– *clothes shop*
de decimeter	de kleermaker– *tailor*
denken– *to think*	kloppen– *to knock*
het ding– *thing (when not name for thing)*	✗ dat klopt– *that's right*
duren– *to last*	de knie– *knee*
dus– *so*	de knoop– *knot, button*
eerder– *earlier, before* *later ≠*	koken– *to boil*
de etalage– *shop window*	de kous/en– *stocking/s*
zich excuseren– *to excuse as*	de laars– *boot* laarzen *pl*
gewoon– *normal, nothing special* *it's ok =*	het leer– *leather*
de hak– *heel*	leggen– *to lie*
de hakkenbar– *shoe repair place*	de lengte– *length*
de hand– *hand*	liggen
— aan de hand zijn– *to be going on happen*	losgaan– *to come undone, get loose*

losspringen *impersonal*	de rok– *skirt*
lukken– *to be possible, work*	het rubber– *rubber*
mankeren *an– to be wrong w.*	de schoenmaker
de mantel– *coat*	schoonmaken– *to clean*
meteen– *immediately*	de sjaal– *scarf*
meten– *to measure*	de sok– *sock* sokken *(pl)*
de meter	sommige– *some*
de millimeter	straks– *in a short while*
mompelen– *to mumble*	toch– *isn't it?*
morgenmiddag– *tomorrow morn.*	de toiletruimte– *bathroom*
morsen– *to spill*	de trein– *train*
de muts– *cap (w/out brim)*	de trui– *sweater*
naaien– *to sew (screw)*	vastmaken– *to tie*
nieuw– *new*	vastnaaien– *to sew on*
nodig– *necessary*	veranderen– *to alter, change*
nooit– *never*	het vest– *vest, cardigan sweater*
het ongeluk– *accident*	de veter– *shoe lace*
ongeveer– *about, approx*	de vlek– *spot, stain*
onhandig– *clumsy*	vlug– *quickly*
oud– *old*	vormen– *to form, make up*
het overhemd– *shirt*	vriendelijk– *friendly*
pakken– *to grab*	de want/en– *mitten/s*
de pantalon– *fancy trousers*	de weg– *road*
de plooi– *pleat*	— op weg naar– *on the way*
precies– *exact(ly)*	wijd– *large when wide*
de prijslijst	het woord
het probleem– *problem*	zeker– *sure*
de ramp– *accident, disaster*	de zool– *sole* zolen– *pl.*
de regenjas– *raincoat*	
repareren– *to repair*	
de riem– *belt for trousers*	

to be going on happen (handwritten bottom left)

check pp. 58-9 (handwritten)

kousen ⑤ sokken
ceintuur ⑥ riem
wanten ⑤ handschoenen
hoed ⑧ muts

blouse ⑬ overhemd
colbert ⑮ jack
laarzen ⑯ schoenen

7 Bent u hier bekend?

Do you know your way (around) here [handwritten annotation]

A ○-○ 1   Op straat

(woman)	1 *Janneke Lamar*	Pardon mevrouw, mag ik u iets vragen?
(woman)	2 *Cora Addicks*	Ja hoor. — *Yes, of course.*
	Janneke Lamar	Weet u waar de Karnemelkstraat is?
	Cora Addicks	Nee mevrouw, het spijt me. = *I'm sorry.*
		Ik woon hier niet.
	Janneke Lamar	O, jammer.
	Janneke Lamar	Pardon meneer, bent u hier bekend?
(man)	3 *Bertus Venema*	Ja.

Janneke Lamar	Ik zoek de Karnemelkstraat.
Bertus Venema	De Karnemelkstraat, eens even kijken. = *let me think, let's see* *(when need time).*
Janneke Lamar	Het moet hier ergens in de buurt zijn.
Bertus Venema	Ja, u loopt hier rechtdoor tot de hoek van deze straat. *straight on*
	Ziet u de stoplichten daar?
Janneke Lamar	Ja.
Bertus Venema	Bij de stoplichten steekt u over.
	U gaat linksaf.
	En dan is het de eerste straat aan uw rechterhand.
Janneke Lamar	*so* Dus tot aan de stoplichten rechtdoor.
	Oversteken, linksaf en dan de eerste straat rechts?
Bertus Venema	Precies.
Janneke Lamar	Dank u wel, meneer.
Bertus Venema	Graag gedaan. – *my pleasure*

Iemand aanspreken *– to ask sth*

Sorry
Pardon meneer/mevrouw, ...
(Dag) meneer/mevrouw, ...

— Pardon mevrouw, mag ik u iets vragen?
— Ja hoor.

— Dag meneer, kunt u mij even helpen?
— Natuurlijk, mevrouw.

De weg vragen

Weet u waar ... is?
Bent u hier bekend?
Ik zoek ...
Waar is ...?

— Weet u waar de Karnemelkstraat is?
— Nee, mevrouw, het spijt me. Ik woon hier niet.

— Pardon, meneer, bent u hier bekend? Ik zoek de Karnemelkstraat.
— De Karnemelkstraat, eens even kijken.

> U gaat **rechtdoor/linksaf/rechtsaf.**
> U gaat/loopt tot ...
> (Het/Dat is) aan uw **linker/rechterhand.**
> (Het/Dat is) aan de **linker/rechterkant.**
> **Links/Rechts.**
>
> — Dag meneer, waar is de Karnemelkstraat?
> — U gaat hier rechtdoor tot aan de stoplichten. Bij de stoplichten steekt u
>   over. U gaat linksaf. En dan is het de eerste straat aan uw rechterhand.

Oriëntatie: de weg wijzen/vragen

rechtdoor

links
linksaf

aan de linkerkant
aan uw linkerhand

rechts
rechtsaf

aan de rechterkant
aan uw rechterhand

B ○-○ 2 Op het station

David Snoek	Retour Haarlem, alstublieft.
Lokettiste	Waarnaartoe, Arnhem?
David Snoek	Nee, Haarlem.
Lokettiste	f 20,25, alstublieft.
David Snoek	Hoe laat gaat de trein naar Haarlem?
Lokettiste	Elk half uur, om kwart voor en kwart over.
David Snoek	Elk half uur, zegt u?
Lokettiste	Ja, om kwart voor en kwart over.
David Snoek	Dus de volgende trein is om kwart voor tien?
Lokettiste	Ja, maar die haalt u niet meer.
	U moet wachten tot kwart over tien.
David Snoek	En van welk spoor vertrekt de trein?
Lokettiste	Spoor 7 A.
David Snoek	Van welk spoor?
Lokettiste	Spoor 7 A.
David Snoek	Dank u wel.
Lokettiste	Tot uw dienst, meneer.

Controlevragen stellen

Herhaling met vragende intonatie.
Vraag met accent op het vraagwoord. *— questan*
Dus ...
..., klopt dat? *— is that correct/right?*

— De trein naar Haarlem vertrekt elk half uur.
— Elk half uur, zegt u?

— Retour Haarlem, alstublieft.
— Waarnaartoe?

— Dus de volgende trein is om kwart over tien?
— Ja, maar die haalt u niet meer.

— De Karnemelkstraat moet hier ergens in de buurt zijn, klopt dat?
— Ja, dat klopt.

Reactie op bedanken

Graag gedaan. *(informal)*

— Bedankt, meneer.
— Graag gedaan.

same meaning

Tot uw dienst. (*formeel*)

— Dank u wel.
— Tot uw dienst, meneer.

Waarnaartoe en waarheen

— Ik wil graag naar Haarlem.   — Waar ga je naartoe/heen?
— Waarnaartoe/Waarheen?   — Ik ga naar Rotterdam.

De klok

4.00 uur: vier uur.
4.05 uur: vijf over vier.
4.10 uur: tien over vier.

4.30 uur: half vijf.
4.35 uur: vijf over half vijf.
4.40 uur: tien over half vijf.

4.15 uur: kwart over vier.
4.20 uur: tien voor half vijf.
4.25 uur: vijf voor half vijf.

4.45 uur: kwart voor vijf.
4.50 uur: tien voor vijf.
4.55 uur: vijf voor vijf.

Een dag heeft 24 uur. Een uur heeft vier kwartier.
Een half uur heeft dertig minuten. Een minuut heeft zestig seconden.

Vragen naar de tijd en reactie

Hoe laat is het?
(Het is) *tijd.*

— Hoe laat is het?
— Kwart over vier.
    Het is kwart over vier.

Hoe laat ...?
Om *tijd.*

— Hoe laat vertrekt de trein naar Haarlem?
    Hoe laat begint de les?
    Hoe laat kom je?
— Om kwart over vier.

Controleur	Meneer, mag ik even uw plaatsbewijs zien?
Jacques Pilot	Wat zegt u?
Controleur	Uw plaatsbewijs, uw kaartje.
Jacques Pilot	Moment …, alstublieft.
Controleur	Dank u wel. Waar bent u ingestapt?
Jacques Pilot	In Slotermeer.
Controleur	En u gaat naar het Centraal Station?
Jacques Pilot	Ja.
Controleur	Dan hebt u een zone te weinig gestempeld.
Jacques Pilot	Neemt u me niet kwalijk, maar wat bedoelt u?
Controleur	Van Slotermeer naar het Centraal Station is twee zones.
Jacques Pilot	Dat is toch één zone?
Controleur	Nee, meneer, twee zones. En u hebt maar één zone afgestempeld.
Jacques Pilot	O sorry, dan zal ik er nog een zone bij doen.
Controleur	Nee, u bent nu te laat. U moet f 26,– betalen.
Jacques Pilot	f 26,–? Dat heb ik niet bij me.
Controleur	Kunt u zich legitimeren?
Jacques Pilot	Ik heb een rijbewijs bij me.
Controleur	Mag ik dat even zien?
Jacques Pilot	Alstublieft.
Controleur	Dank u wel. Met dit formulier moet u binnen een week f 26,– betalen.
Jacques Pilot	Binnen een week?
Controleur	Ja, anders kost het u f 41,–.
Jacques Pilot	Waar moet ik dat betalen?
Controleur	Kijk, hier staat het adres.
Jacques Pilot	Nou, vooruit dan maar.

73

Zich excuseren

Pardon/Sorry.
Neemt u me/Neem me niet kwalijk. *= slecht* *(Don't take me wrong / Don't misunderstand me)*
Het spijt me.

— U moet twee zones afstempelen.
— O sorry, dan zal ik er nog een zone bij doen.

— Meneer, u hebt een zone te weinig gestempeld.
— Neemt u me niet kwalijk, maar wat bedoelt u?

— Weet u waar de Karnemelkstraat is?
— Nee, mevrouw, het spijt me. Ik woon hier niet.

De voltooid tegenwoordige tijd *present perfect*

1 De voltooid tegenwoordige tijd: hebben/zijn + voltooid deelwoord *the auxiliary verb is conjugated* *past*

participle

Het voltooid deelwoord: ge + stam + t/d (stam = 1e persoon enkelvoud) *= the first person sg present tense of regular verbs*

ge + stam + **t**: als de stam eindigt op **-k, -p, -ch, -f, -s, -t** ('t kofschip) *soft ketchup mnemonic*
ge + stam + **d**: in de andere gevallen

	maken	*kussen*	*stoppen*	*leren*	*spelen*
stam	maak	kus	stop	leer	speel
deelwoord	**ge**maak**t**	**ge**kus**t**	**ge**stop**t**	**ge**leer**d**	**ge**spee**ld**

Voor het voltooid deelwoord van onregelmatige werkwoorden zie
Appendix 3.

2 We gebruiken de voltooid tegenwoordige tijd bij het vertellen over handelingen en gebeurtenissen uit het verleden. *for finished actions*

— Waar bent u ingestapt?
— In Slotermeer.
— U hebt een zone te weinig gestempeld.
— O ja, is dat zo?
  Van Slotermeer naar het Centraal Station is toch één zone?
— Nee, meneer, twee zones. En u hebt maar één zone afgestempeld.

'koken (kookte, heeft gekookt) **1** *iets koken* het eetbaar maken door het gaar te maken in heet water ● *eten koken* de warme maaltijd klaarmaken **2** *(van vloeistof)* zo warm zijn dat er dampbellen aan de oppervlakte komen ● *water kookt bij 100° C; de vulkaan kookte; koken van woede* (uitdr.) heel boos zijn.

'koker (de~ (m.); -s) ronde buis waar je iets in kunt stoppen

→ *buis* ● *de dure sigaar zat in een goudkleurige koker; dat idee komt niet uit mijn koker* (uitdr.; populair) ik heb het niet bedacht, het komt niet van mij.

ko'ket (bijv. nw.) gezegd van een meisje dat probeert met haar uiterlijk en maniertjes in de smaak te vallen → *behaagziek.*

koket'teren (koketteerde, heeft gekoketteerd) **1** je best doen

Uit: Van Dale, *Basiswoordenboek van de Nederlandse taal.*

Het wederkerend voornaamwoord: alle vormen

Zich legitimeren

1	Ik	legitimeer	**me.**	1	We	legitimeren	**ons.**
2	U	legitimeert	**u/zich.**	2	U	legitimeert	**u/zich.**
	Je	legitimeert	**je.**		Jullie	legitimeren	**je.**
3	Hij	legitimeert	**zich.**	3	Ze	legitimeren	**zich.**
	Ze	legitimeert	**zich.**				

← better

D 4 Zones en strippen

In Nederland reis je in bus, tram en metro met een strippenkaart. Nederland is verdeeld in zones. Amsterdam bijvoorbeeld heeft elf zones. Reist u binnen één zone, bijvoorbeeld in het centrum van Amsterdam, dan moet u de tweede strip stempelen. Reist u van Centrum naar Zuid, dan is dat 2 zones = 3 strippen. Van Centrum naar Bijlmer is 3 zones = 4 strippen.

LIJN 131a
van NAARDEN/KEVERDIJK
naar BUSSUM/SPIEGEL

2nd words are neighborhoods?

Zaterdag

plaats en halte

		8 16	9 16	10 16	11 16	12 16	13 16	14 16	15 16	16 16
Naarden/Keverdijk, Aalscholverstraat	V	8 16	9 16	10 16	11 16	12 16	13 16	14 16	15 16	16 16
Naarden, Marktstraat		8 23	9 23	10 23	11 23	12 23	13 23	14 23	15 23	16 23
Bussum, Busstation	A	8 31	9 31	10 31	11 31	12 31	13 31	14 31	15 31	16 31
Bussum, Busstation	V	8 31	9 31	10 31	11 31	12 31	13 31	14 31	15 31	16 31
Bussum/Spiegel, Struikheiweg	A	8 39	9 39	10 39	11 39	12 39	13 39	14 39	15 39	16 39

plaats en halte

Naarden/Keverdijk, Aalscholverstraat	V	17 16	18 16	19 13	20 13
Naarden, Marktstraat		17 23	18 23	19 18	20 18
Bussum, Busstation	A	17 31	18 31	19 25	20 25
Bussum, Busstation	V	17 31	18 31	19 25	20 25
Bussum/Spiegel, Struikheiweg	A	17 39	18 39	19 32	20 32

Dit vervoer wordt uitgevoerd met een dorpsbus
(Onder voorbehoud goedkeuring gemeenten Naarden en Bussum)

V = Vertrek *— departure*
A = Aankomst *— arrival*

Dit is de dienstregeling van lijn 131a op zaterdag.
Lijn 131a is een busdienst tussen Naarden en Bussum.
De bus vertrekt vanaf de Aalscholverstraat in Naarden.
Het eindpunt is de Struikheiweg in Bussum.
Tussen de Aalscholverstraat en de Struikheiweg stopt de bus bij twee haltes.
De eerste bus vertrekt 's morgens om 8.16 uur.
De laatste bus vertrekt 's avonds om 20.13 uur.

F

afstempelen *(for strippenkaart only) — to stamp*	het kwart *— 25 ¢*	de rechterhand *— right hand*	de strip
beginnen *— to start*	het kwartier *— 15 minutes*	de rechterkant *— right side*	de strippenkaart
bekend *well known*	laat *— late*	rechts *— right*	de tram
betalen *— to pay*	zich legitimeren *— to show ID*	rechtsaf *— to the right*	verdelen *— to divide*
bijvoorbeeld *— for ex.*	leren (ww) *— to learn*	reizen *— to travel*	vertrekken *— to leave*
de bus	de linkerhand *— left hand*	het retour *— return ticket*	waarheen *— long trip*
het centrum	de linkerkant *— left side*	het rijbewijs *— drivers license*	waarnaartoe *— where to*
de controleur *— tram inspector*	links *— left*	de seconde	de zone
de dienst *— service*	linksaf *— to the left*	spelen *— to play*	
het formulier *— form*	de lokettiste *— bank, post office, station saleslady*	spijten *— to regret*	
helpen *— to help*	de metro	het spoor *— platform*	
de hoek *— corner*	de minuut	staan *— to be (for texts), to stand*	
kussen *— to kiss*	het moment *= ogenblik*	het station	
kwalijk *— slecht*	oversteken *— to cross a street*	stempelen *— to stamp in general*	
— neem(t u) me niet kwalijk	het plaatsbewijs *— ticket*	het stoplicht *— stop light*	
	rechtdoor *— straight on, cheat*	stoppen *— to stop*	

8 Met wie spreek ik?

A ⊙·⊙ 1 Postzegels kopen

Meneer Banza	Mag ik tien postzegels van 75 en vijf van 50?
	Er moet toch 50 cent op een ansichtkaart?
Lokettiste	Nee, 55.
Meneer Banza	Vijf van 55 dan.
	En deze brief moet naar Moçambique.
	Ik wil hem graag aangetekend versturen.
	Hoeveel kost dat?
Lokettiste	Geeft u de brief eens.
	Aantekenen kost f 7,- extra.
Meneer Banza	En hoeveel porto moet erop?
Lokettiste	Er moet f 1,30 op. Dat is dan f 18,55 bij elkaar.
Meneer Banza	Alstublieft.
Lokettiste	Met f 6,45.
Meneer Banza	Dank u wel.

◦–◦ 2 Een pakje versturen

Mevrouw Vandenberghe	Ik wil een pakje versturen naar België. Wanneer komt het daar aan?
Lokettist	Eh ..., het is nu dinsdag, dat wordt donderdag mevrouw.
Mevrouw Vandenberghe	Dat is te laat. Kan het niet sneller?
Lokettist	Jawel, maar dan moet u het per expres versturen. Dan is het er morgenmiddag.
Mevrouw Vandenberghe	Hoeveel kost dat?
Lokettist	Even kijken, het pakje weegt 300 gram. Dat kost f 5,- extra.
Mevrouw Vandenberghe	Goed, doet u dat maar. Ik wilde u nog iets vragen. Ik ga verhuizen. Kunt u mijn post doorsturen naar mijn nieuwe adres?
Lokettist	Jazeker, dat kan. U moet een 'verhuisbericht' invullen. De Post stuurt dan drie maanden uw post door.
Mevrouw Vandenberghe	Zou u me zo'n formulier kunnen geven?
Lokettist	Ze liggen daar. U kunt ze zo pakken.
Mevrouw Vandenberghe	Dank u wel.

3 De PTT (Posterijen, Telegrafie en Telefonie)

de luchtpostbrief

de brievenbus

de telefooncel

de postbode

lemand verzoeken iets te doen

to request, ask

> **Kunt u ...?**
> **Zou u ... kunnen/willen ...?**
>
> — Kunt u mijn post doorsturen?
> — Jazeker, dat kan.
>
> — Zou u me een formulier kunnen geven?
> — Ze liggen daar. U kunt ze zo pakken.

Zou u me kunnen helpen? — more polite
willen
Would you be able to help me?
willing

Er en daar: *plaats*

> — Ik woon in Utrecht.
> — Daar woon ik ook. Ik woon er al tien jaar.
>
> — Dit pakje moet naar België. Wanneer is het daar?
> — Het is er overmorgen.
>
> — Is Kees thuis?
> — Nee, die is er niet.

B   o–o 4   Joan Appelhof belt op

Jan Peter de Waard	Jan Peter de Waard.
Joan Appelhof	Dag Jan Peter, met Joan Appelhof. Is je moeder thuis?
Jan Peter de Waard	Momentje. Mam, telefoon voor je.
Mevrouw De Waard	Wilma de Waard.
Joan Appelhof	Dag Wilma, met Joan.
Mevrouw De Waard	Ha, Joan.

○-○ 5 Anna Mertens belt op

Jan Veenstra	Met Veenstra.
Anna Mertens	Met wie zegt u?
Jan Veenstra	Met Veenstra.
Anna Mertens	O, neemt u me niet kwalijk.
	Dan heb ik een verkeerd nummer gedraaid. *= Dan heb ik verkeerd verbonden.*
Jan Veenstra	Wie moet u hebben?
Anna Mertens	Mariska Prins.
Jan Veenstra	Ja, dat klopt. Die woont hier ook.
Anna Mertens	Kan ik haar even spreken?
Jan Veenstra	Ja hoor, ik zal haar even roepen.

Telefoneren (A belt B op)

B
(Met) *naam*
(Met) mevrouw/meneer *naam*

        A
        Ja/Dag, met *naam*
        U/Je spreekt met *naam* ← *for business c...*

        Kan ik *naam* **even spreken?** =
        Is *naam* **thuis?** *Kunt u mij doorverbinden met (name)? (or) Kunt u mij met (name) doorverbin...*

— Met Sofie Veerman.
— Dag, met Sylvia Arzberg.
— Met wie?
— Met Sylvia Arzberg.
  Kan ik Jan Peter even spreken?
— Moment. Ik zal hem even roepen.

Bij de bank

w/ surinamese accent

Mevrouw Verhoog	Goedemorgen.
	Ik wil graag f 250,- opnemen van mijn rekening.
Lokettist	Hebt u hier een rekening?
Mevrouw Verhoog	Nee, bij een ander filiaal.
Lokettist	Hebt u een legitimatie?
Mevrouw Verhoog	Mijn betaalpasje, is dat goed?
Lokettist	Nee, paspoort of rijbewijs graag.
Mevrouw Verhoog	O, dat heb ik niet bij me.
	Kunt u het zo niet geven?
Lokettist	Nee, dat gaat niet.
Mevrouw Verhoog	Wat vervelend.
	Ik wou ook nog voor f 500,- Engelse ponden.
Lokettist	Dat kan.
	Dat zijn dan 150 Engelse ponden. Alstublieft.
Mevrouw Verhoog	Dank u wel.

British pound

Telefoniste	Postbank, goedemorgen.
Paula Burdova	Goedemorgen, u spreekt met mevrouw Burdova. Ik wilde iets vragen over vreemde valuta.
Telefoniste	Dat kan. Ik verbind u door met de afdeling vreemde valuta.
Telefoniste	Het toestel is in gesprek. — *The line is engaged /bus* Wilt u wachten of belt u terug?
Paula Burdova	Ik wacht wel even.

(handwritten note: would like)

Bo van der Linden	Van der Linden.
Paula Burdova	Ja, met mevrouw Burdova. Mag ik u wat vragen?
Bo van der Linden	Jazeker mevrouw. Wat wilt u weten?
Paula Burdova	Kunt u mij vertellen wat de koers van de dinar vandaag is?
Bo van der Linden	Ja. U krijgt 100 dinar voor f 0,02.
Paula Burdova	Dank u wel.

Informatie vragen

willen heb l
regular
regular
past
tense

Mag ik u iets vragen?
→ **Ik wou/wilde u iets vragen (over ...)**
Kunt u me vertellen ...

— Ik wilde iets vragen over vreemde valuta.
— Wat wilt u weten?

— Kunt u me vertellen wat de koers van de dinar is?
— Ja, dat kan. — *thats possible.*

Het samengestelde werkwoord

aankomen	–	ik kom	aan	– ik ben aangekomen
doorsturen	–	ik stuur	door	– ik heb doorgestuurd
invullen	–	ik vul	in	– ik heb ingevuld

Onvoltooid tegenwoordige tijd.
Wanneer komt het pakje aan?
Ik verbind u door met de afdeling vreemde valuta.
Mevrouw Vandenberghe vult een formulier in.

Voltooid tegenwoordige tijd.
Het pakje is donderdag aangekomen.
Heeft de PTT de post doorgestuurd?
Mevrouw Vandenberghe heeft een formulier ingevuld.

8   **D**   o-o 8   **008 bellen**

PTT Telecom. Inlichtingen telefoonnummers binnenland.
Er zijn meer dan twaalf wachtenden voor u.
Er zijn nog twaalf wachtenden voor u.
Er zijn nog negen wachtenden voor u.
Er zijn nog …

Telefoniste	Inlichtingen, goedemiddag.
Hendrik de Ridder	Dag. Ik wou graag een telefoonnummer in Utrecht. Van Bommelstein.
Telefoniste	Wat is het adres?
Hendrik de Ridder	Domstraat 87.
Telefoniste	L.C. Bommelstein?
Hendrik de Ridder	Ja, dat klopt.
Telefoniste	Het nummer is 030-869045.
Hendrik de Ridder	Dank u wel.
Telefoniste	Tot uw dienst.
Hendrik de Ridder	Dag.

9   De telefoongids

In de telefoongids kun je informatie over telefoneren vinden:
telefoonnummers, hoeveel kost een gesprek met China, landnummers,
en nog veel meer. Er staan ook telefoonnummers in waar je speciale
informatie kunt krijgen. Als je bijvoorbeeld wilt weten wat voor weer
het morgen is, dan kun je 003 bellen. Wil je weten hoe laat het is: bel
002. En de 'geinlijn' van Max Tailleur vertelt je de leukste mop.
Al deze telefoontjes kosten wel geld, want de PTT doet 'niets voor
niets'.

polite (handwritten)

Beleefd vragen

Ik wou graag ...
Ik wil graag ...
(wilde / wil — handwritten)

— Ik wou graag een telefoonnummer in Utrecht. Van Bommelstein.
— Wat is het adres?

— Ik wil graag f 250,- opnemen van mijn rekening.
— Hebt u hier een rekening?

E ▪ 10 Kinderpostzegelaktie

Betalen met bank- of girocheque

Tweede ronde kinderpostzegelaktie gaat van start — *to begin*

De kinderpostzegelaktie is woensdag 16 november de tweede ronde ingegaan. De kinderen komen langs de deur om overal de bestelde kinderpostzegels en wenskaarten af te leveren. *afleveren = to collect*

Heeft u ook kinderpostzegels besteld? Dan ontvangt u vanaf nu uw bestelling. Daar moet u natuurlijk voor betalen. Dat afrekenen gaat het makkelijkst met een girobetaal-kaart of een bankcheque. U schrijft op de cheque het woord 'kinderpostzegels', het juiste bedrag en uw handtekening. Het is eenvoudig en het voorkómt problemen met wisselgeld. *prevent*

De kinderen zullen het u vragen. En Martine Bijl vraagt het namens de kinderpostzegel-aktie op televisie. *in the name of*

Heeft u nog geen kinderpostzegels besteld? Geen nood! *No problem* Vanaf 16 november zijn de kin-derpostzegels te koop op het postkantoor. Er zijn velletjes, series, PTT-mapjes, teveel om op te noemen. Misschien een ideetje voor een Sinterklaascadeau? U maakt er niet *(? meemaken)* alleen de ontvanger blij mee: honderdduizenden kinderen over de hele wereld krijgen door uw bijdrage weer een kans op een menswaardig bestaan. Doen dus!

F

aantekenen *to register (a letter)*	het filiaal *branch*	opnemen *to withdraw (money)*	de telefoongids
aanwezig *present*	de geinlijn *joke line*	overig *everything else*	het telefoonnummer
de afdeling *department*	het geld	overmorgen *day after tomorrow*	het telefoontje *telephone call*
de ansichtkaart *picture postcard*	het gesprek	het paspoort *passport*	terugbellen *to call back*
de bank *bank, bench*	de informatie *sg. only*	de porto *postage*	het toestel *line, machine (phone)*
de bestemming *destination*	de inlichtingen *always*	de post *mail*	de valuta *foreign currency*
de betaalpas *credit card*	invullen *to fill in*	de postbode *mail carrier*	het verhuisbericht *change of ad-ress form*
het binnenland *the interior*	jawel	de postzegel	verhuizen *to move (change address)*
de brief	jazeker *yes, of course*	de rekening *bank account, bill*	verkeerd *wrong*
de brievenbus *mailbox*	de koers *rate*	roepen *to call so* *(rufen)*	versturen *to send — w/ no indirect object*
de dinar	het landnummer *country code*	speciaal	vertellen *to tell*
doorsturen *to forward (mail)*	de legitimatie *identification*	spreken	vervelend *irritating*
doorverbinden *to connect*	de lokettist *man behind counter*	de streekpost *local mail*	vreemd *strange*
draaien *to dial*	de luchtpostbrief	sturen *to send w/ indirect object*	het weer *weather*
Engels	de moeder	telefoneren	
per expres	de mop *joke*	de telefoniste *telephone operator*	
extra	opbellen *to call so on the phone (anrufen)* = bellen	de telefooncel *telephone booth*	

roepen (vs) bellen/opbellen
sturen (vs) versturen

9 Wat staat er in de krant?

Algemeen Dagblad — *Rotterdam, also w/ opinions of man-in-the-street, c. 400,0_ subscribers*

de Volkskrant — *morning newsp, m_ left-wing of the 6, abt 200,000 subsc_ read nation-wide*

Het PAROOL — *a lot abt. Amsterdam, illegal newsp in WWII, read much outside of Amsterdam 'a_ newsp. b*

NRC HANDELSBLAD — *eve. newsp, the quality w/ intellectual dir, eco., right-w_*

De Telegraaf — *most circ. in Netherlands w/ abt 800,000 subscribers, scandals, press, conservative & relatively for buying (ad*

Trouw — *Amsterdam prot. newsp, w/ abt 100,00_ subscribers*

Nieuw Rotterdamsche courant abt 200,000 subscribers

A I Aan het ontbijt

Annet	Zeg, schiet toch op. *come on*
	Het is bijna acht uur.
Hannie	Ja, je hebt gelijk, maar ik kom toch te laat. *anyway*
	Er rijden geen bussen vandaag.
Annet	Meen je dat nou? *(see p. 87)*
Hannie	Ja, ik heb het net in de krant gelezen.
	Kijk, hier staat het: Buschauffeurs staken.
Annet	Inderdaad. *used for news in paper*
	O, wat lastig!
	Dan kan ik vanmiddag ook niet de stad in.
Hannie	Ach, misschien valt het mee. *maybe it's not that b_*
	De staking duurt vast niet lang. *implies subjective op_*
Annet	Denk je dat echt?
	Zet eens gauw de radio aan.
	Misschien is er nog nieuws over de acties. *here: protest*
Radio	Acht uur, radionieuwsdienst verzorgd door het ANP. *general Dutch press agency*

emphasis

86

Iemand aansporen →to hurry so up

vlug/snel/gauw	— De staking duurt vast niet lang.
	— Denk je dat echt?
	Zet eens gauw de radio aan.
	Misschien is er nog nieuws over de acties.
opschieten	— Zeg, schiet toch op.
	— Ja, je hebt gelijk, maar ik kom toch te laat.

Aan iets twijfelen - doubt (here: disbelief expressed)

Meent u/Meen je dat nou?	— Er rijden geen bussen vandaag.
Echt waar?	— Meen je dat nou?
Is dat zo?	
less strong — **Denkt u/Denk je dat echt?**	— De staking duurt vast niet lang.
	— Denk je dat echt?

Spoorwegstaking april 1990

De gebiedende wijs — *the imperative*

1 Zonder onderwerp (het werkwoord heeft de vorm van de stam)

Zeg, schiet toch op.

Zet eens gauw de radio aan.

Kom binnen.

Zeg het maar.

2 Met onderwerp (in de tweede persoon)

Kom jij maar binnen. — *used only in informal to emphasis you sg.*

Geeft u mij maar een thee.

Zegt u het maar.

B ○•○ 2 Kranten en tijdschriften

Heeft u in een kiosk of krantenwinkel ook wel eens gedacht: wat zijn er toch een boel verschillende bladen? Of: waar staat mijn eigen favoriete blad? Bovendien lijken veel bladen op elkaar. In principe kun je ze in vijf groepen verdelen.

1) In de eerste plaats hebben we de kranten of dagbladen. Deze bladen verschijnen elke dag, behalve zondag. Ze geven vooral nieuws: over de politieke situatie in China of Engeland, over protestacties van de politie, enzovoort. Verder geven kranten in een commentaar vaak een mening over het nieuws.

2) In de tweede plaats zijn er zogenaamde opiniebladen. Die vertellen niet alleen wat er gebeurd is, maar ze geven ook allerlei achtergrondinformatie over het hoe en waarom van bepaalde acties. Het zijn bladen met een duidelijke politieke mening. Die mening over het nieuws is in deze bladen belangrijker dan in de kranten. Ze verschijnen wekelijks, zoals Elsevier, Vrij Nederland of De Groene Amsterdammer.

3) De familiebladen vormen een derde groep. In die bladen staan leuke artikelen met mooie foto's naast serieuze artikelen over onderwijs, gezondheid en milieuproblemen of zo. Ze bieden dus niet alleen informatie, maar ook ontspanning. Voorbeelden van deze bladen zijn Libelle, Panorama, Viva of Nieuwe Revu.

4) Ten vierde kennen we de roddelbladen als Story of Privé. Het zijn bladen die de lezer alleen maar willen amuseren. Vaak brengen ze sensatieverhalen, zoals: Nieuwe vriendin voor Anthony Delon of: Waarom is Sophia Loren zo depressief?

5) Tot slot zijn er vakbladen en hobbybladen, bijvoorbeeld Personal Computer Magazine, Voetbal International of Vrouw en Mode. In deze bladen staat veel informatie en vaak is die informatie tamelijk professioneel.

Opsommen

In de eerste plaats ..., in de tweede plaats ...
Ten eerste ..., ten tweede ...
Verder ...
Tot slot/Ten slotte ...
... enzovoort. ~~etc.~~

In de eerste plaats hebben we de kranten of dagbladen ... In de tweede
plaats zijn er zogenaamde opiniebladen ... Ten vierde kennen we de
roddelbladen ... Verder geven kranten in een commentaar ook vaak een
mening over het nieuws ... Tot slot zijn er vakbladen en hobbybladen. Ze
geven vooral nieuws: over de politieke situatie in Rusland, over protestacties van de politie, enzovoort.

Een voorbeeld geven

Voorbeelden zijn .../Een voorbeeld is ...
Bijvoorbeeld ...
Als/Zoals ...
... en zo/of zo. *— very colloquial, (shows indifference - "and things like that" expresses)*

Opiniebladen verschijnen wekelijks zoals Elsevier, Vrij Nederland of De Tijd.
De familiebladen vormen een derde groep. Voorbeelden van deze bladen
zijn Libelle, Panorama, Viva of Nieuwe Revu.
Ten vierde kennen we de roddelbladen als Story of Privé. In die bladen
staan leuke artikelen met mooie foto's naast serieuze artikelen over
onderwijs, gezondheid en milieuproblemen of zo.
Tot slot zijn er vakbladen en hobbybladen, bijvoorbeeld Personal
Computer Magazine, Voetbal International of Vrouw en Mode.

Rangtelwoorden

1e = eerste	6e = zesde	20e = twintigste
2e = tweede	7e = zevende	30e = dertigste
3e = derde	8e = achtste	
4e = vierde	9e = negende	100e = honderdste
5e = vijfde	10e = tiende	1000e = duizendste

In de eerste plaats hebben we de kranten of dagbladen.
In de tweede plaats zijn er zogenaamde opiniebladen.
De familiebladen vormen een derde groep.
Ten vierde kennen we de roddelbladen.

Jean-Paul Daveau	Is er geen Le Monde meer?
Winkelier	Nee, die hebben we vandaag niet gekregen.
Jean-Paul Daveau	Komt hij nog wel? *emphasis; will it arrive?*
Winkelier	Ja, morgen, denk ik.
Jean-Paul Daveau	En eh Libération? Die zie ik ook niet.
Winkelier	Nee, dat klopt, er zijn vandaag helemaal geen Franse kranten binnengekomen.
Jean-Paul Daveau	O, wat vervelend.
Winkelier	Ja meneer, ik ben het met u eens, maar ik kan er ook niets aan doen. ~ *I can't do anything abt it*
Jean-Paul Daveau	Nou, dan neem ik maar een NRC en een Vrij Nederland.
Winkelier	Deze twee? Dat is f 6,70.
Jean-Paul Daveau	Alstublieft.
Winkelier	Ja, precies gepast, dank u wel.

Iemand gelijk geven — *to say so is right* — *just the right of money*

for subjective + objective situations → **Ja, u/je hebt gelijk.**
— Zeg, je moet opschieten.
— Ja, je hebt gelijk, maar ik kom toch te laat.

yes, indeed → **Inderdaad.**
— Kijk, hier staat het: Buschauffeurs staken.
— Inderdaad.

Dat klopt.
— Libération zie ik ook niet.
— Nee, dat klopt, er zijn vandaag helemaal geen Franse kranten binnengekomen.

don't omit

I agree w/ you (subjective only) → **Ik ben het met u/je eens.**
— Zijn er geen kranten? O, wat vervelend.
— Ja meneer, ik ben het met u eens, maar ik kan er ook niets aan doen.

Dat is waar. *juist*
— Dat is waar.

Er: repletief ~There is/There are~

Is het onderwerp van de zin onbepaald? Dan er toevoegen.

— Zet je de radio aan?
— Ja, misschien is er nog nieuws over de acties.

— Is er geen Le Monde meer?
— Nee, die hebben we vandaag niet gekregen.

Let op de volgorde

Eerste plaats	Finiet werkwoord	Onderwerp	Rest	Infiniet werkwoord
Er	rijden	geen bussen	vandaag.	
Vandaag	rijden	er geen bussen.		

Wat: in uitroepen — ~Exclamations~

1 Wat + *bijvoeglijk naamwoord*:
— De buschauffeurs staken vandaag.
— O, wat lastig!

— Er zijn vandaag geen Franse kranten binnengekomen.
— O, wat vervelend! ~adjectief +~

~adj. makes the judgment (good or bad) clearer~

2 Wat + een + *zelfstandig naamwoord* ~noun~
Heeft u in een kiosk of krantenwinkel ook wel eens gedacht: wat zijn er toch een boel verschillende bladen?

D ■ **4   Migranten en media**
~(vee fee see)~

De Raad van Europa en het Ministerie van WVC organiseren op 29 en 30 november en 1 december 1988 een Europees colloquium met als titel 'Migranten, media en culturele verscheidenheid'. Op de drie dagen komen twee thema's aan de orde. Als eerste: 'Het beeld van migranten in de pers en op radio en televisie'; als tweede: 'Participatie en integratie van etnische minderheidsgroepen in de pers en bij radio en televisie'.

Het colloquium wordt gehouden in het Leeuwenhorst Congrescentrum in Noordwijkerhout; de voertalen zullen Engels en Frans zijn. Voor informatie en opgave kan men terecht bij het Ministerie van WVC, Congressecretariaat, Postbus 5406, 2280 HK Rijswijk, telefoon: 070-405710 (A.Zoetjes).

Uit: *Buitenlanders Bulletin 13*, 8/9, 1988, p.43.

91

5   Krantekoppen — *newsp headlines*

MINISTER STOPT BESPREKING MET AMBTENAREN

Kans op vrede in Midden-Oosten?

GOEDE BETREKKINGEN TUSSEN LIBIË EN CHINA

detb

Opnieuw conflict tussen Suriname en Frans Guyana

pres & the deciding game

Woensdag beslissing Europacup

Vakbond heeft oplossing voor economische crisis

Buschauffeurs eisen *shorter* kortere werktijden

PROTEST TEGEN OORLOG IN PANAMA

Kritiek op organisatie jazzfestival

E   **6   Tijdschriftenladder** — *info w/ contents of magazines*

Promodukties	Telefoon (020) 253462 Week 47
	OPINIEWEEKBLADEN
ELSEVIER/EW ELSEVIERS WEEKBLAD	**DE NEDERLANDSE** 06-0224646 **PERSCONCENTRATIE.** Feiten en meningen over de voorgenomen fusie tussen NDU en Perscombinatie. W. Woltz, NRC: 'die domoren van de Volkskrant' H. Lockefeer, Volkskrant: 'wat denken ze wel in Rotterdam' **DE WAARHEID OVER DESI BOUTERSE,** een ex-lijfwacht spreekt zich uit. **DE VOLKSVERHUIZER** het eigenzinnige woonbeleid van E. Heerma. **'WIJ WAREN VRIJHEIDSSTRIJDERS'** de teloorgang van de Coornhert-Liga. **THOMAS BERNHARD EN DE GROTE ELLENDE.**
DE GROENE AMSTERDAMMER	**HET STUDENT REBELLEERT.** 06-0224222 Alles over de grootste academische **ACTIE** van na de oorlog. Vooruitstrevend schilderen in **LENINGRAD** Profiel: Walter **BENJAMIN.** Charlotte **MUTSAERTS.** De krantenfusie: **COLLEGA'S!** Gooi het hele zaakje PLAT. Plus. **MACBETH!**
HAAGSE POST	**HP DOSSIER: NACHTMERRIE '92.** 020-243576 Straks hebben we niets meer te zeggen. Dan is de **democratie** afgeschaft en worden we geregeerd door de **BRUSSELSE MAFIA.** De krant is van dezelfde uitgever, de **KRIMINAL-POLIZEI** waart overal, in Amsterdam is de WW even laag als op Sicilie. En Nederland? **DAT WORDT OPGEHEVEN.** En verder: **JERZY KOSINSKI** slaat terug, een interview. De strijd om **de dagbladen.** Sport. **FRANS HENRICHS** liefde voor **Zuid-Afrika,** en. Milieu in kleur op het **HORECABAL.**
DE TIJD	**'LEUGENAAR'.** Jeroen Brouwers rekent af met Hirohito-fan Rudy Kousbroek: 'Ongetalenteerde syndroomlijder'. **IJ-OEVERS.** Amsterdam wil aan het water groots bouwen. Jim Schilder doet bezorgd de ronde. **AGRESSIE IN DE KLAS.** Leerlingen bedreigen hun leraren. 'Jou kom ik nog wel eens tegen in de metro'. **STADSNAR.** Edzard Mik interviewt Luc Deleu, de architect als stadsnar. 'Banaliteit heeft ook charme'.
	OPINIE
NIEUWE BETA	**MAANDBLAD VOOR SCHONE TECHNOLOGIE. THEMA:** Warmtekrachtkoppeling. WARMTEKRACHT, gediscrimineerd, maar toch succesvol. SCHOOLVOORBEELD, industriële warmtekracht in Delfzijl. En verder ondermeer: Een hekje van f 100 miljoen om het reservaat. Wat nu met het milieu, PRESIDENT BUSH? Weg met de vrije landbouwmarkt. NU TE KOOP BIJ UW KIOSK f 4,-, of neem een abonnement voor f 40,- per jaar. **NOVEMBER**
onze Wereld	**WIE IS ER BANG VOOR TIEN MILJARD MENSEN?** De bevolkingsexplosie: ramp of angstdroom? **Verder:** voorpublikatie uit de bundel van de nobelprijswinnaar Nagieb Mahfoez. **Reportage:** Bangladesh. **Interview:** Sjef Theunis. En Mr. Theo van Boven over de mensenrechten. Bel gratis 06-0220660 voor een abonnement.
	CULTUUR
OOR	**HET GROTE PLATENNUMMER.** 06-0224646 **Het grote platennummer:** een reis om de wereld in 80 platen. Met speciale tracks van ondermeer Bluesgigant Muddy Waters, the Led Zeppelin-story, Claw Boys Claw en de Nederbeat, nostalgie met Motown's Martha & the Vandellas en Wire & Nasmak. Nu overal te koop voor f 4,95. **Nr. 23**
	WETENSCHAP
NATUUR & TECHNIEK wetenschap en samenleving	**IS HET HIV GEEN AIDSVIRUS?** 043-254044 **HOOGSPANNING....** tot in uw t.v.! **DE LEVER** is de poortwachter van ons lichaam. **VERTALEN** gaat steeds meer en beter via computers. Communiceren met **FOTONEN** in plaats van elektronen. Hoe is het **KLIMAAT** te verbeteren in een varkensstal? **De BIOTECHNOLOGIE** op zoek naar koolhydraten. **Nr. 11**

F

aanzetten
de achtergrond-informatie
de actie/s
allerlei
de ambtenaar
zich amuseren
het artikel
het beeld
belangrijk
bepaald
de beslissing
de bespreking
de betrekking
bieden
bijna
binnenkomen
het blad
de boel
— een boel
bovendien
de buschauffeur
het colloquium
het commentaar
het conflict
het congres-secretariaat
de crisis
cultureel
het dagblad
depressief
duidelijk

economisch
eigen
eisen
etnisch
Europees
het familieblad
favoriet
de foto
Frans
gauw
gebeuren
gelijk
— gelijk hebben
gepast
de gezondheid
de groep
het hobbyblad
inderdaad
de integratie
het jazzfestival
de kans
kennen
de kiosk
de krant
de krantekop
de krantenwinkel
de kritiek
lastig
de lezer
lijken
de media (mv)
menen

de mening
de migrant
het milieuprobleem
de minderheidsgroep
de minister
het ministerie
net
het nieuws
het onderwijs
de oorlog
de opgave
het opinieblad
de oplossing
opnieuw
opschieten
(de orde
— aan de orde komen
de organisatie
organiseren
de participatie
de politie
de postbus
het principe
— in principe
professioneel
het protest
de protestactie
de raad
de radio
de radionieuwsdienst
rijden
het roddelblad

het sensatieverhaal
serieus
de situatie
het slot
— tot slot
— ten slotte
staken
de staking
tamelijk
terecht
— terecht kunnen bij
het thema
het tijdschrift
de titel
vaak
het vakblad
de vakbond
vast
de verscheidenheid
verschijnen
verschillend
verzorgen
de voertaal
vooral
het voorbeeld
de vrede
waarom
wekelijks
de werktijd
de winkelier
zogenaamd

93

10 Wat vind jij?

what do you think?

A ⊙⊙ 1   Een gesprek over computers

Mieke Rosier	*Hej,* Zeg, mag ik je even iets vragen?
	Jij weet toch veel van computers, hè? — *words for check info: don't you?* *emphasis, stronger*
Hetty Kroon	Nou, nee hoor, dat is niet zo.
	Ga je een computer kopen?
Mieke Rosier	Ja, ik heb een goedkope aanbieding in de krant
	gezien.
Hetty Kroon	Wat voor computer is het? *what type of...?*
Mieke Rosier	O, het is een heel eenvoudig apparaat met twee
	discdrives en een kleurenmonitor voor f 2000,–.
Hetty Kroon	Nieuw?
Mieke Rosier	Nee, tweedehands.

Hetty Kroon	Moet je niet doen.
Mieke Rosier	Nee? Waarom niet?
Hetty Kroon	Veel te duur, joh.
Mieke Rosier	Ja? Nou, dat denk ik niet, hoor.
Hetty Kroon	Ja, kijk, je moet het natuurlijk zelf weten, maar volgens mij kun je zoiets veel goedkoper krijgen.
Mieke Rosier	Denk je dat echt?
Hetty Kroon	Ja joh. En waarom neem je geen harddisc?
Mieke Rosier	Vind je dat beter?
Hetty Kroon	O beslist, veel meer mogelijkheden, hè?
Mieke Rosier	Ja, dat is waar. Maar ik gebruik hem hoofdzakelijk voor mijn administratie.
Hetty Kroon	Ja, maar over een tijdje kom je ongetwijfeld wat beters tegen.
Mieke Rosier	Dus je vindt dat ik het niet moet doen?
Hetty Kroon	Nee, wacht rustig af.
Mieke Rosier	Nou, dan wacht ik nog maar even. Bedankt voor je advies.

Aangeven dat je wat gaat zeggen

Zeg	— Zeg, mag ik je even iets vragen? — Natuurlijk!
Ja Kijk	— Vind je de computer te duur? — Ja, kijk, je moet het natuurlijk zelf weten.
Nou	— Wacht rustig af. — Nou, dan wacht ik nog maar even.

Iemand tegenspreken

Nee, ... Dat is niet waar.	— Is de computer nieuw? — Nee, tweedehands.
Dat klopt niet. Dat is niet zo.	— Jij weet toch veel van computers, hè? — Nou, nee hoor, dat is niet zo.
Dat denk ik niet. Ik ben het niet met je eens.	— De computer is veel te duur. — Dat denk ik niet, hoor.

Filmproducent Rob Houwer

Interviewer	In de studio zit Rob Houwer, Nederlands beroemdste filmproducent.
	Meneer Houwer, wat vindt u van de grote belangstelling voor de videocamera?
Rob Houwer	Ik vind dat een goede ontwikkeling. Het is een teken dat mensen het filmvak leuk vinden.
Interviewer	U hebt zelf een aantal bekende films gemaakt, zoals Turks Fruit, Keetje Tippel en Soldaat van Oranje. Denkt u dat de videofilmers concurrenten van u gaan worden?
Rob Houwer	Nee, absoluut niet.
	Voor het maken van een goede film of video heb je talent nodig en lang niet iedereen heeft talent.
Interviewer	U gelooft niet dat er nu ineens veel nieuwe filmproducenten bijkomen?
Rob Houwer	Dat denk ik niet, nee. Maar ik vind het wel leuk dat zoveel mensen het filmvak ontdekken. Dan leren ze meteen dat het maken van een film heel moeilijk is. Tegen jonge filmers zeg ik altijd: maak eerst een video.
Interviewer	Waarom vindt u dat belangrijk?
Rob Houwer	Omdat je door het maken van een video veel ervaring krijgt.
Interviewer	U bent dus niet bang voor de concurrentie van videofilmers, begrijp ik?
Rob Houwer	Nee, integendeel.
	Als er meer videofilmers komen, wordt de belangstelling voor het echte filmvak juist groter.
Interviewer	Dank u voor dit gesprek.
Rob Houwer	Graag gedaan.

Naar: Filmproducent Rob Houwer: 'Welkom, videofilmers!' *Raf magazine 2*, Amsterdam, 1988.

Vragen naar een mening /opinion

Wat vindt u/vind je van ...?
Denkt u/Denk je   **(niet) dat ...?** ← do you think/expect
Gelooft u/Geloof je   **(niet) dat ...?** ← do you believe/expect on the base of information (trust)
Vindt u/Vind je   **(niet) dat ...?** ← experience

— Meneer Houwer, wat vindt u van de grote belangstelling voor de videocamera?
— Ik vind dat een goede ontwikkeling.

— Denkt u dat de videofilmers concurrenten van u gaan worden?
— Nee, absoluut niet.

— U gelooft niet dat er nu ineens veel nieuwe filmproducenten bijkomen?
— Dat denk ik niet, nee.

— Waarom vindt u dat belangrijk?
— Omdat je door het maken van een video veel ervaring krijgt.

Samenvatten → to summarize, draw a conclusion

Dus

— Dus je vindt dat ik het niet moet doen?
— Nee, wacht rustig af.

— U bent dus niet bang voor de concurrentie van videofilmers, begrijp ik?
— Nee, integendeel.

C   [0-0] 3   Meer televisie kijken, minder lezen

Interviewer	Nederlanders kijken steeds meer televisie en lezen minder. Dat is de conclusie uit een onderzoek van de heren Kalmijn en Knulst. Wij hebben een gesprek met de heer Kalmijn. Meneer Kalmijn, wat hebt u precies onderzocht?
De heer Kalmijn	Wij hebben gekeken naar het gebruik van kranten, tijdschriften, boeken, televisie en radio bij Nederlanders van twaalf jaar en ouder.
Interviewer	En wat zijn de resultaten?
De heer Kalmijn	Ja, dat hebt u eigenlijk al gezegd. We hebben vastgesteld dat Nederlanders steeds

while, whereas

meer tv kijken, terwijl de belangstelling voor het
lezen afneemt.

Interviewer   Geldt dat voor alle Nederlanders?

De heer Kalmijn   Eigenlijk wel, ja.

Maar vooral bij jongeren hebben we een toename
in het tv kijken geconstateerd.

Why did that develop/ How did that come about?

Interviewer   Hoe komt dat volgens u?

De heer Kalmijn   Ik denk dat er drie oorzaken zijn.

In de eerste plaats heeft Nederland kabeltelevisie
gekregen. In de tweede plaats zijn er meer
kanalen bij gekomen. En ten derde hebben veel
mensen tegenwoordig een videorecorder. De
gelegenheid om televisie te kijken is daardoor veel
groter geworden.

*erbij komen - to join
kom er bij! Join us,
(at a table)!*

Interviewer   Denkt u dat mensen op den duur nog meer
televisie gaan kijken?

De heer Kalmijn   Nee, ik geloof dat de interesse voor de televisie
over enige tijd wel weer daalt.

denk - based on expectation, not info

Interviewer   Waarom denkt u dat?

De heer Kalmijn   *becaus* Omdat het met de belangstelling voor radio,
grammofoon, bioscoop en stripboeken net zo
gegaan is.

Die hebben een tijd lang veel aandacht gekregen,
maar later is de belangstelling weer afgenomen.
Volgens mij gaat het met de televisie net zo.

Interviewer   Dank u wel voor dit gesprek.

De heer Kalmijn   Graag gedaan.

Een mening geven

Ik denk dat ... *based on your expectation/so*
Ik geloof dat ...
Volgens mij ... +(verb)
Ik vind dat ... — *alet sth you know*

— Hoe komt het dat mensen meer tv kijken en minder lezen?
— Ik denk dat er drie oorzaken zijn.

— Denkt u dat mensen op den duur nog meer televisie gaan kijken?
— Nee, ik geloof dat de interesse voor de televisie over enige tijd wel weer daalt.

— Kijk, je moet het natuurlijk zelf weten. Maar volgens mij kun je zo'n computer veel goedkoper krijgen.
— Denk je echt?

De samengestelde zin

Hoofdzin + hoofdzin
Voor het maken van een goede film of video heb je talent nodig *en* lang niet iedereen heeft talent.
Die hebben een tijd lang veel aandacht gekregen, *maar* later is de belangstelling weer afgenomen.

Hoofdzin + bijzin
Ik vind het leuk *dat zoveel mensen het filmvak ontdekken.*
Nederlanders kijken steeds meer tv, *terwijl de belangstelling voor het lezen afneemt.*

Bijzin + hoofdzin
Als er meer videofilmers komen, wordt de belangstelling voor het echte filmvak juist groter.

Woordvolgorde: de bijzin
→ *inversion*, (*conjugated*) *verb in final position*

		Onderwerp	Rest	Werkwoord
Ik vind het leuk	dat	veel mensen	het filmvak	ontdekken.
Ze kijken meer tv,	terwijl	ze	minder	lezen.
Ze leren	dat	filmen	heel moeilijk	is.
Denkt u	dat	mensen	meer televisie	gaan kijken?

99

PHILIPS
de **RADIOCASSETTE-RECORDER**
- tandem soundmachine
- 2x4 Watt
- FM - MG - LG ontvangst
- dubbeldeck
- 4 luidsprekers

199=

SONY

de **WALKMAN** (*same as if Eng*)
- tape selector
- autostop
- met hoofdtelefoon

59=

JVC

CD speler
de COMPACTDISCSPELER
- 3-straals laser
- digitaal filter
- geschikt voor CD-single
- 32 nummers
- programmeerbaar

499=

SHARP

de **VIDEORECORDER VCT 310**
- HQ VHS systeem
- LCD "sprekende" afstandbediening
- 60 kanalen
- 8 programma's, 365 dagen
- 3 zoeksytemen
- kinderslot

1198=

⬡ **Electrolux**

de **STOFZUIGER**
- vermogen 1100 Watt
- electr. zuigkrachtregeling
- automatische oprolsnoer
- diverse hulpstukken

299=

TEFAL

de **STRIJKIJZER**
- droog/stoomijzer
- controlelampje

59.⁹⁵

SHARP

de MAGNETRONOVEN
- 600 Watt vermogen
- 19 liter inhoud
- 45 minuten timer
- 5 standen

499=

SONY

de STEREO-INSTALLATIE
- FM-MG ontvangst
- dubbel cassettedeck
- programmeer bare CD speler
- inclusief boxen

999=

◆ **ındesıt**

het **GASFORNUIS K 5400**
- 4 gasbranders
- 2-delige pandragers
- opberglade
- dubbel geisoleerd
- ovendeur met rem

599=

Pelgrim

het GASSTEL *de gassteloven*
- 4 gasbranders
- 2-delige pandragers
- afdekplaat

359=

PHILIPS teletekst

kleurentv
de **KLEURENTELEVISIE**
- 55 cm (51 cm effectief) flat square beeldbuis
- teletekst
- 40 voorkeurzenders
- afstandbediening

1298=

ZANUSSI

de WASAUTOMAAT, *wasmaschi*
- 1000 tpm. centrifuge
- 24 programma's
- 4,5 kg vulcapaciteit
- RVS interieur

1098=

ⓑ**auknecht**

de DROOGTROMMEL (*drie*)
- droogtrommel met schakelklok
- RVS trommel/kuip
- 4,5 kg. vulcapaciteit
- draait links en rechtsom

799=

BOSCH

de ijskast
de **KOELKAST**
- 256 liter totale inhoud
- 67 liter vriezer
- volautomatische ontdooiing

899=

NEDERLAND 1

KRO
18.15 Kruispunt TV, magazine. ★
NOS
19.00 Journaal.
KRO
19.21 Volmaakte vreemden, comedyserie.
19.48 Waku waku, spelshow. Met: Carl Huybrechts, Willem van Hanegem, Gregor Frenkel Frank, Silvia Millecam, Hans Böhm en Eric van Muiswinkel.
21.12 (TT) In therapie, informatieve serie over de toepassing van psychotherapie. Vanavond: De zaak van de man die teveel drinkt.
21.45 Brandpunt, actualiteiten en achtergrondinformatie. ★
NOS
22.30 Journaal.
KRO
22.45 In 't holst van de nacht, politieserie.
EO
23.35 (ZW) Maarten Luther (Kerkhervormer), speelfilm van Irving Pichel uit 1953. Met: Niall Mac Ginnes, John Ruddock, Guy Verney e.a.
01.06 Einde.

NEDERLAND 2

TROS
18.00 Bassie en Adriaan en de verzonken stad, 9-delige jeugdserie.
18.30 (S) TROS Popformule, popprogramma.
19.05 Linda, trendy en life-style magazine.
NOS
20.00 (TT) Journaal.
TROS
20.29 Ron's Honeymoon quiz.

22.10 Jongbloed & Joosten, gevarieerd binnen- en buitenlands nieuws. Gasten: Freek de Jonge en Julius Vischjager, hoofdredacteur van de Daily Invisible. ★
22.45 TROS Jubileumfilm: The jewel of the nile, Amerikaanse speelfilm uit 1985 van Lewis Teague. Met: Michael Douglas, Kathleen Turner, Danny DeVito e.a.
NOS
00.36 Journaal.

NEDERLAND 3

NOS
18.00 Paspoort Pasaport), magazine in het Turks en het Nederlands.
18.30 Sesamstraat.
18.45 (TT) Jeugdjournaal.
18.55 Het Klokhuis, kinderprogramma.
19.10 Graaf Duckula, tekenfilmserie.
19.35 Leontyne, serie documentaires over de belevenissen van een bemanning aan boord van de Leontyne, een schip dat in zeven maanden via de Theems in Engeland en het Kanaal naar Wenen voer. Afl. 5.
20.00 Journaal.
20.20 Jimmy's, wekelijks verslag van de belevenissen in het grootste streekziekenhuis van Engeland.
20.44 Honderd meesterwerken, internationale serie over honderd bijzondere schilderijen. Vandaag: Salome van Franz von Stuck.
20.54 Jessye Norman zingt Carmen, documentaire over de opname van deze opera. ★
21.51 De dames gaan stappen, Engelse animatiefilm uit 1986 van Joanne Quinn.
22.00 NOS-Laat, actueel magazine. ★
22.45 Nieuws voor doven en slechthorenden.

⊙-⊙ 6 Radionieuwsdienst ANP

F

de aandacht	de discdrive	ineens	rustig
het aantal	de droogtrommel	integendeel	steeds
absoluut	de duur	het interview	de stereo-installatie
de administratie	— op den duur	de interviewer	de stofzuiger
het advies	eenvoudig	de jongere	het strijkijzer
afnemen	de ervaring	juist	het stripboek
afwachten	filmen	de kabeltelevisie	de studio
het apparaat	de filmer	het kanaal	het talent
bang	de filmproducent	de kleurenmonitor	tegenkomen
begrijpen	het filmvak	de kleurentelevisie	tegenwoordig
beroemd	de folder	de koelkast	het teken
beslist	het gasfornuis	later	de toename
de cassetterecorder	het gasstel	de magnetronoven	de tv
de compactdisc-	het gebruik	moeilijk	tweedehands
speler	gebruiken	de mogelijkheid	vaststellen
de computer	gelden	het onderzoek	de video
de conclusie	de gelegenheid	onderzoeken	de videocamera
de concurrent	geloven	ongetwijfeld	de videofilmer
de concurrentie	de grammofoon	ontdekken	de videorecorder
constateren	de harddisc	de ontwikkeling	de walkman
daardoor	de heer	de oorzaak	de wasautomaat
dalen	hoofdzakelijk	het resultaat	

Daar ben ik tegen

A ⊙-⊙ 1   Gesprek met een politicus

Op een bijeenkomst van een politieke partij stelt een journalist aan
meneer Wubbels, die een lezing heeft gehouden, een paar vragen.

Journalist	Er is pas een enquête gehouden over de hulp van Nederland aan de derde wereld. De meeste mensen vinden dat Nederland genoeg steun geeft aan de derde wereld. Wat vindt u ervan?
De heer Wubbels	Daar ben ik het niet helemaal mee eens. Ik vind dat we de hulp nog wel wat kunnen vergroten.
Journalist	Maar betekent dat niet dat we in Nederland nog meer moeten bezuinigen?
De heer Wubbels	Ja, volgens mij zijn er nog wel enkele posten waarop we kunnen bezuinigen.
Journalist	Waar denkt u dan aan?
De heer Wubbels	Dan denk ik met name aan de bewapening.
Journalist	In de enquête stond ook een vraag over de besteding van het geld.
De heer Wubbels	Waarover?
Journalist	Over de besteding van het geld, dat wil zeggen: wat doet de Nederlandse overheid ermee? Ongeveer 40% van de mensen vindt dat het geld goed wordt besteed. Wat is uw reactie daarop?
De heer Wubbels	40% vind ik erg weinig. Daar moet de regering maar eens over nadenken.

Waar/daar/er + voorzetsel

- De enquête gaat over hulp aan de derde wereld.
- Waarover? Waar gaat de enquête over?

- Dan denk ik met name aan de bewapening.
- Waaraan? Waar denkt u aan?

- Bent u het met dat standpunt eens?
- Ja, ik ben het ermee eens. Daar ben ik het mee eens.

Hij vertelt over de hulp van Nederland aan de derde wereld.
Hij vertelt erover. Daar vertelt hij over.

B ▦ 2 Nederland: democratie en monarchie

Nederland is een parlementaire democratie. Dat betekent dat er een
parlement is. Het parlement bestaat uit twee 'kamers': de Eerste Kamer
(75 leden) en de Tweede Kamer (150 leden). In het parlement worden
de beslissingen democratisch genomen, dat wil zeggen: de meerderheid
van de leden beslist. De Eerste Kamer heeft een soort controlefunctie
voor de Tweede Kamer.
Democratisch betekent bovendien dat er verschillende politieke
partijen zijn. Aan de tweede-kamerverkiezingen van 1989 deden 25
partijen mee. Negen partijen zijn in de Tweede Kamer gekomen. De
drie grootste partijen zijn: CDA, PVDA en VVD. Voor de verkiezingen
hebben alle partijen verkiezingsprogramma's gemaakt. Daarin staan
hun standpunten over allerlei zaken.
Nederland is niet alleen een parlementaire democratie, maar ook een
constitutionele monarchie: de rechten en plichten zijn geregeld in een
grondwet en de koning(in) is het staatshoofd.

*Zitting van de
Tweede Kamer*

▌▌ ▓▓▓ 3 Uitslag tweede-kamerverkiezingen 1989

coalition gen CDA - PvdA or CDA - VVD
now coalition: PvdA - VVD - D66 w/out CDA

	percentage	stemmen	zetels	vote '94
CDA – ChristianDemocrats	35,3	3141157	54	34
PvdA – social	31,9	2833266	49	37
VVD – right-wing liberals	14,6	1296049	22	31
D66 – left-wing liberals	7,9	700863	12	24
Groen Links	4,1	361274	6	5
SGP – not on TV, women not reps. of the party	1,9	166662	3	3
GPV	1,2	109570	2	2
RPF	1,0	85225	1	3
Janmaat (CD) – extreme right, like Le Pen	0,9	81215	1	3
Overige	1,2	116227	–	

extreme right religious party {SGP GPV RPF}

not like Ger. w/ minimum of 5% of the vote to get a seat in parliament

not unified, politicians of other parties, defend the rights of the elderly { AOV +6 / Unie 55+ 1 }

socialist/protest party < SP 2

CDA christen democratisch appèl

PvdA

HET IS ZEKER, IK GA ME OP DE POLITIEK TOELEGGEN

JE WEET NIET WAT JE ZEGT! DE POLITIEK IS EEN TE SERIEUZE ZAAK OM GRAPPEN OVER TE MAKEN

JUIST DAAROM... DE POLITIEK IS TE SERIEUS OM OVER TE LATEN AAN DE POLITICI

Uit: *Latijns Amerika*

Nadruk geven → to emphasize

met name	— Waar denkt u dan aan?
	— Dan denk ik met name aan de bewapening.
vooral	Die journalist heeft vaak interviews, vooral met politici.

C ○-○ 4 Gesprek met een activiste

Nederland heeft niet alleen veel politieke partijen, maar ook veel actiegroepen. Ineke Peters is lid van zo'n actiegroep.

Journalist	Ineke, jij bent lid van de actiegroep 'Brandnetel'. — *stinging nettle*
	Wat is 'Brandnetel'?
Ineke Peters	'Brandnetel' is een milieugroep.
Journalist	✱ Waar protesteren jullie tegen?
Ineke Peters	Nou, wij protesteren onder andere tegen het
	gebruik van de auto. *actie voeren – to take an action / doen*
Journalist	Wat voor soort acties voeren jullie?
Ineke Peters	O, onze acties zijn *generally* meestal grappig. Zo proberen we
opvallen →	op te vallen en de mensen aan het denken te zetten.
Journalist	Kun je een voorbeeld geven?
Ineke Peters	Ja, we hebben pas geprotesteerd tegen het grote
	aantal auto's in ons land. We zijn naar een grote
	autotentoonstelling gegaan.
	En daar hebben we actie gevoerd. Ik was toen boom.
Journalist	Boom?
Ineke Peters	Ja kijk, omdat er zoveel auto's zijn, komt er zure
	regen en daardoor gaan de bomen dood.
	Andere mensen lagen op de grond, met
	tomatenketchup op hun gezicht.
Journalist	Hoezo?
Ineke Peters	Nou, de auto's veroorzaken namelijk ook veel
	verkeersslachtoffers. *victim*

Journalist	Jaja.
	Ben jij ook voor harde acties, bijvoorbeeld auto's kapot maken?
Ineke Peters	Nee, daar ben ik tegen. Ik ben tegen geweld.
Journalist	Bedankt voor dit interview.
Ineke Peters	Nou, graag gedaan.

Protestactie Auto-Rai. exhibition

Voor of tegen iets zijn

Ik ben voor ...	— Ben je voor acties?
	— Ja, daar ben ik voor.
Ik ben tegen ...	— Ben je voor geweld?
	— Nee, ik ben tegen geweld.

Een voorbeeld geven see p. 89

onder andere	— Waar protesteren jullie tegen?
	— We protesteren onder andere tegen het gebruik van de auto.
bijvoorbeeld	— Ben je ook voor harde acties, bijvoorbeeld auto's kapot maken?
	— Nee, daar ben ik tegen.

Iets verduidelijken

namelijk – in 3rd pl, after subject + verb [(used w/ an explanation, like the German *nämlich*)
dat wil zeggen – in other words, for clarification

— Sommige mensen speelden slachtoffer.
— Hoezo?
— De auto's veroorzaken namelijk ook veel verkeersslachtoffers.

— In de enquête stond ook een vraag over de besteding van het geld.
— Waarover?
— Over de besteding van het geld, dat wil zeggen: wat doet de Nederlandse overheid ermee?

D ○-○ 5 Meningen over politiek

Thérèse uit Duitsland
'Kijk, van de Nederlandse politici weet ik nog niet zoveel. Ik koop altijd een Duitse krant. Het is voor mij veel makkelijker iets over Duitse politici te lezen, want ik ken de personen. En ik kan ze ook nog plaatsen in hun partijen. Kijk, voor mij is de Nederlandse krant moeilijk te lezen, want ik weet niet welke persoon bij welke partij hoort, en welke ideeën die partijen hebben'.

Christine uit Engeland
'Stemmen vind ik absoluut belangrijk, zowel voor Nederlanders als voor de buitenlanders. Want als je geen stemrecht hebt, heb je ook geen recht om je mening mee te laten tellen. Ja, voor mij klopt het niet dat mensen in een land wonen en daar belasting moeten betalen, werken en al hun plichten doen, zonder dat ze het recht hebben om te stemmen'.

Rui Frederico uit Kaapverdië
'Ik woon al lang in Nederland en ik vind stemmen belangrijk. Toch weet ik niet veel van politiek. Er wordt zoveel gepraat. Dus stem ik maar op een christelijke partij, want ik ben een christen'.

Benji uit India
'Ik heb zin om te stemmen, maar ik kan niet kiezen, want ik vind geen enkele partij goed. Niet alleen hier maar ook in mijn eigen land.'

Liesbeth uit Nederland
'Ik stem altijd al op de VVD. Een grote partij heeft meer invloed dan een kleine. In Nederland zijn drie grote partijen. Daar moet ik tussen kiezen. De VVD heeft het beste programma.'

Naar: Joop Hart, *Filter. Verkiezingen*, Wolters-Noordhoff, Groningen 1986.

omdat	Christine stemt, omdat dat belangrijk is.
	Omdat politiek belangrijk is, stemt Christine.
want	Benji stemt niet, want hij kan niet kiezen.

Omdat *verbindt een hoofdzin met een bijzin.*
Want *verbindt een hoofdzin met een hoofdzin.*

Woordvolgorde: de samengestelde zin

1 hoofdzin + hoofdzin

Eerste plaats	Finiet werkw.	Onder- werp	Rest		Eerste plaats	Finiet werkw.	Onder- werp	Rest	Infiniet werkw.
Morgen	stemt	Benji	niet,	want	hij	kan		niet	kiezen.
Benji	stemt		niet,	want	hij	kan		niet	kiezen.

2 hoofdzin + bijzin

Eerste plaats	Finiet werkw.	Onder- werp	Rest		Onder- werp	Rest	Werkw.
	Stemt	Benji	niet	omdat	hij	niet	kan kiezen?
Christine	stemt			omdat	politiek	belangrijk	is.

3 bijzin + hoofdzin

	Eerste plaats			Finiet werkw.	Onder- werp	Rest	Infiniet werkw.
	Onderw.	Rest	Werkw.				
Omdat	politiek	belangrijk	is,	stemt	Christine.		
Omdat	hij	niet	kan kiezen,	stemt	Benji	niet.	

E   ▪ **6   Meer dan politiek alleen**

Deze tekst komt uit een folder van de Jonge Democraten;
dat is de jongerenorganisatie van Democraten '66
(een politieke partij).

**Politiek lijkt soms erg saai. Politici nemen beslissingen die voor ons
allemaal belangrijk zijn. Soms denk je dat ze alles voor je beslissen. Maar
ook jij kunt je mening laten meetellen. Je kunt je aansluiten bij een
politieke jongerenorganisatie.**

Wat doet de JD?

De JD is een actieve vereniging. Voor nieuwe leden zijn er overal in het land introductieweekends. We organiseren excursies naar bijvoorbeeld de Tweede Kamer, maar ook naar het buitenland. Verder zijn er allerlei informatieve bijeenkomsten over milieu, democratisering, emancipatie en ieder ander onderwerp waar belangstelling voor is. Ook komen we enkele keren per jaar bijeen op een congres om te vergaderen. Daar nemen we standpunten in over allerlei onderwerpen. En dat gebeurt democratisch: ieder lid kan meepraten en meebeslissen. Tenslotte proberen we onze standpunten te verwezenlijken, bijvoorbeeld door overleg met de fracties in de Tweede Kamer. Maar we zijn geen actiegroep. We willen in de eerste plaats meer inzicht krijgen in de politiek.

F

de actiegroep _ex greenpeace NGO_
de activiste
de auto
de belasting _— tax_
beslissen _— to decide_
besteden _— to spend (money)_
de besteding _— spending_
de bewapening _— defense_
bezuinigen _— to economize_
de bijeenkomst _meeting_
de boom _— tree_
de buitenlander
christelijk
de christen
constitutioneel
de controlefunctie _— check_
de democratie
democratisch
doodgaan _= sterven — to die_
Duits
de enquête _— survey_
erg
het geweld
het gezicht _— face_

grappig _funny_
de grond
de grondwet _— constitution_
hoezo _= why (=waarom)_
horen bij _— to belong to_
de hulp _— help, support_
de invloed _— influence_
de journalist
de kamerverkiezing
de koning
de koningin
de lezing _— lecture_
makkelijk
meedoen _— to join_
de meerderheid _— majority_
meetellen _— to count, to be of importance_
de milieugroep _environmental group_
de monarchie _— reflect gvt_
nadenken _— think about over..._
de naam
— met name _— especially_
namelijk _— namely w/ reason (ger. nämlich)_
opvallen _— to attract attention_
de overheid _— public authorities_

het parlement
parlementair
pas _— recently, the other day_
het percentage
plaatsen
de plicht _— duty / pl._
de politicus
het programma
protesteren
de reactie
het recht
regelen _— to lay out_
de regen
de regering _— government_
het slachtoffer _— casualty_
de/het soort
het staatshoofd
het standpunt
stellen _— een vraag stellen_
de stem _— vote, voice_
stemmen _— to vote_
het stemrecht _— right to vote_
de steun
de tentoonstelling _— exhibition_

toen _— at that time (for past)_
de tomatenketchup
de uitslag
vergroten _— to increase_
het verkeers-slachtoffer
de verkiezing _— election_
het verkiezings-programma
veroorzaken
voeren _— (to feed animals)_
— actie voeren _— to take an action_
de vraag
waaraan
waarop
waarover
de wereld
de zaak
de zetel
zetten _— to cause_ _iemand aan het denken zetten — to start so thinking_
zowel
— zowel ... als _both ... and_

sparen — to save money you have (put in a bank etc)

(B) bezuinigen — to cut back (because you lack the money)

12 Mag ik jullie even onderbreken?

A 0-0 1 Op een feest

> Neem me niet kwalijk, maar...

Alex	Neem me niet kwalijk, maar woon jij in Utrecht?
Bettie	Ja, dat klopt.
Alex	Ja, sorry dat ik even stoor.
Michel	O, dat geeft niet, hoor.
	Ga je gang.
Alex	Ik hoor net dat jij hier met de auto bent.
	Kan ik straks met je meerijden?
Bettie	Goed, maar waar woon je?
Alex	In de Tulpstraat, vlak bij het station.
Bettie	Ja, prima, daar kom ik toch langs.

Sylvia	Sorry jongens, mag ik jullie even onderbreken?
Michel	Jij altijd, Sylvia.
Sylvia	Ja, er staan allemaal lekkere hapjes op tafel. Nemen jullie?
Michel	Ja lekker, we nemen zo.

o-o 2 Een lastig gesprek

Dora Reitsma	U wilt me spreken over problemen op uw afdeling?
Wim Kaptein	Ja, ik vind dat het de laatste tijd niet goed gaat. Volgens mij is het zo dat ...
Dora Reitsma	Moment, met Dora Reitsma ... Sorry John, maar voordat je verder gaat ... Ik zit net midden in een belangrijk gesprek. Kan ik je zo even terugbellen? ... Oké ... ja ... doe ik ... dag lieverd ...
Dora Reitsma	Goed eh, waar waren we gebleven?

Iemand onderbreken

Neemt u/Neem me niet kwalijk, maar ...
Mag ik u/je even onderbreken?
Moment/Ogenblik!
Sorry, maar ...

— Neem me niet kwalijk, maar woon jij in Utrecht?
— Ja, dat klopt.

— Sorry jongens, mag ik jullie even onderbreken?
— Jij altijd, Sylvia.

— Volgens mij ...
— Moment, met Dora Reitsma.

— Sorry John, maar voordat je verder gaat ... Ik zit net midden in een belangrijk gesprek.

B   o–o **3**   **Op het postkantoor**

Klant	Mag ik even iets vragen?
Lokettist	Moment meneer, ik ben even bezig!
Klant	Ik wil alleen even weten of ik hier een aangetekende brief kan halen.
Lokettist	Loket zeven, meneer.
Klant	Dank u wel.

o-o 4 Op een vergadering

Voorzitter	... Dus ik hoop dat de R.v.B. met het plan akkoord gaat. Dan kunnen we beginnen.
Aanwezige	Ik heb even een vraag.
Voorzitter	Een ogenblik graag, ik ben zo klaar.
Aanwezige	Ik wil alleen vragen wat u met R.v.B. bedoelt.
Voorzitter	R.v.B.? Raad van Bestuur.
Aanwezige	Dank u wel.
Voorzitter	Goed, dan kom ik nu bij het laatste punt ...

o-o 5 Bij een lezing

Spreker	... En daarom is het Taoïsme de grootste godsdienst in China.
Luisteraar	Ik wil graag iets vragen. Er zijn toch ook veel boeddhisten in China?
Spreker	Ja, dat komt zo. U moet me even laten uitspreken. Over het Boeddhisme ga ik het straks hebben.
Luisteraar	O, neemt u me niet kwalijk.

Het woord vragen

Mag ik (even) iets zeggen/vragen?
Ik heb (even) een vraag.
Ik wil graag iets zeggen/vragen.

— Mag ik even iets vragen?
— Moment meneer, ik ben even bezig!

— Ik heb even een vraag.
— Een ogenblik graag, ik ben zo klaar.

— Daarom is het Taoïsme de grootste godsdienst in China.
— Ik wil graag iets vragen. Er zijn toch ook veel boeddhisten in China?

Reactie op onderbreking

Moment/Ogenblik!
Ik ben zo klaar.
U/Je moet me even laten uitspreken.

— Mag ik even iets vragen?
— Moment meneer, ik ben even bezig!

— Ik heb even een vraag.
— Een ogenblik graag, ik ben zo klaar.

— Er zijn toch ook veel boeddhisten in China?
— Ja, dat komt zo. U moet me even laten uitspreken. Over het Boeddhisme
  ga ik het straks hebben.

C   o-o **6**   Tijdens de les

Docent	We gaan door met Oefening 3.
	Wie is er aan de beurt? Jorge?
Jorge	Nee, ik wil even iets vragen.
	Krijgen we vandaag geen test?
Docent	Ja, het is goed dat je dat zegt.
	Dat was ik vergeten. Dan doen we eerst de test
	en daarna gaan we verder met Oefening 3.
Irene	Mag ik nog iets vragen over de vorige les?
Docent	Natuurlijk, ga je gang.
Irene	Wat is een actiegroep?

Docent	Dat heb ik de vorige keer uitgelegd.
Irene	Ja, maar ik weet niet meer precies wat dat betekent.
Docent	Een actiegroep voert actie voor iets. Voor beter onderwijs, meer films op de televisie of voor een schoner milieu. Zijn er nog andere vragen? Nee? Dan beginnen we met de test.
Ibrahim	Neemt u mij niet kwalijk, maar ik heb toch nog een vraag.
Docent	Nou, zeg het maar.
Ibrahim	Kunnen wij niet eerst het huiswerk bespreken, voordat we de test maken?
Docent	Nee, geven jullie je huiswerk maar aan mij. Dan kijk ik het na, terwijl jullie de test maken. Daarna kunnen we het huiswerk bespreken.
Jorge	Hoeveel tijd hebben we voor de test?
Docent	Twintig minuten. Nadat ik de test heb uitgedeeld, kunnen jullie beginnen.

Iemand aan het woord laten

Wie is er aan de beurt?	— Wie is er aan de beurt? Jorge? — Nee, ik wil even iets vragen.
Gaat uw/Ga je gang.	— Mag ik nog iets vragen over de vorige les? — Natuurlijk, ga je gang.
Zegt u/Zeg het maar.	— Neemt u me niet kwalijk, maar ik heb toch nog een vraag. — Nou, zeg het maar.

Afhankelijke zinnen: vragen en weten

1 De afhankelijke vraag

a *Vraagwoordvragen: vragen/weten wie, wat, enzovoort*

Wat bedoelt u met R.v.B.?	Ik wil alleen vragen wat u met R.v.B. bedoelt.
Wie is John?	Ik weet niet wie John is.

b *Ja/nee-vragen: vragen/weten of*

Kan ik hier een aangetekende brief halen?	Ik wil alleen vragen of ik hier een aangetekende brief kan halen.
Woon je in Utrecht?	Ik wil weten of je in Utrecht woont.

2 De afhankelijke mededeling: weten dat

Ik ben niet tevreden over de gang van zaken.	Ik weet dat u over de gang van zaken niet tevreden bent.
Er zijn in China veel boeddhisten.	Iedereen weet dat er in China veel boeddhisten zijn.

Tijd: eerst ... dan, nadat, voordat en terwijl

1 Beschrijving van acties die niet op het zelfde moment gebeuren

Eerst eet ik een broodje, dan (daarna) schrijf ik een brief.
Ik eet een broodje, voordat ik een brief schrijf.
Nadat ik een broodje heb gegeten, schrijf ik een brief.

(Ook: Voordat ik een brief schrijf, eet ik een broodje.
        Ik schrijf een brief, nadat ik een broodje heb gegeten.)

2 Beschrijving van acties die op hetzelfde moment gebeuren

Ik eet een broodje en schrijf een brief.
Terwijl ik een broodje eet, schrijf ik een brief.

(Ook: Ik eet een broodje, terwijl ik een brief schrijf.
Ik schrijf een brief, terwijl ik een broodje eet.
Terwijl ik een brief schrijf, eet ik een broodje.)

D **7** **Het weer**

**Wolkenvelden en droog. In de ochtend mogelijk enkele mistbanken.
Middagtemperatuur rond 8 graden.
Zondag droog en kans op mist. Na het weekend meer wind en
toenemende kans op regen.**

8 **Internationaal telefoneren**

Automatisch internationaal telefoneren
Vrienden of familie in het buitenland? Of wilt u spreken met een
zakenrelatie? Automatisch internationaal bellen is de snelle, makkelijke
manier voor contact. En goedkoper dan u denkt!

Internationaal bellen gaat zo:
1 kies eerst het internationaal toegangsnummer 09 en
2 wacht dan op de kiestoon,
3 kies daarna het landnummer,
4 gevolgd door het netnummer en
5 ten slotte het abonneenummer.

eerst	dan	daarna	gevolgd door	en ten slotte
09	kiestoon	landnummer	netnummer	abonneenummer

Dit moet u doen bij brand

Al doet u nog zo uw best om brand te voorkomen, brand helemaal uitsluiten lukt nooit. Het is daarom belangrijk om ook bij brand te weten wat u moet doen.

Wat moet u doen bij brand?

1 Bel onmiddellijk 212121, het alarmnummer van de Brandweer.
2 Sluit alle ramen en deuren.
3 Zorg dat iedereen het huis verlaat en waarschuw uw medebewoners.
4 Is de brand nog klein, dan kunt u misschien zelf nog blussen.
5 Wacht de brandweer op en leg uit wat er precies aan de hand is.

E 10 Een fantastische bustocht

De firma Wepa nodigt u uit voor een
Schitterende Dagtocht naar de Baumberge in Duitsland. met dans en muziek

In de binnenzijde leest u het komplete overzicht.

MET REKLAME-VERKOOP SHOW

EEN FANTASTISCHE BUSTOCHT

Wat kunt u allemaal verwachten:
Ontvangst in Duitsland met een heerlijk kopje koffie en koek, waarna een interessante verkoop-demonstratie volgt van de Firma Wepa uit Stein. Na een heerlijke gezamelijke middagmaaltijd vervolgen we onze tocht door het prachtige natuurgebied van de Baumberge, de uitlopers van het Teutoburgerwald. Via de schitterende plaatsen (let u vooral eens op de typerende bouwwijze) Nottuln, Billerbeck, de parel van de Baumberge, Darfeld, Laer en Horstmar bereiken we Schoppingen, een prachtig stadje dat dit jaar zijn 1150-jarig bestaan viert. Daar wacht ons in Hotel Zur Alten Post een gastvrij onthaal waar u de gelegenheid krijgt een dansje te maken op live muziek.
Deze Tocht gaat onder alle Weersomstandig-heden door!

Alles inklusief voor de speciale prijs van

f.39,50 p.p.

Kinderen betalen de volle prijs.

F

het abonneenummer
het akkoord
— akkoord gaan met
het alarmnummer
automatisch
bespreken
het bestuur
bezig
— bezig zijn (met)
blijven
blussen
het boeddhisme
de boeddhist
de brand
de brandweer
het buitenland
het contact
daarna
de deur
de docent
doorgaan

droog
de familie
de gang
— gaat uw/ga je gang
de godsdienst
de graad
het hapje
het huiswerk
internationaal
de jongen
de kiestoon
de klant
laatst
de lieverd
de luisteraar
de manier
de medebewoner
meerijden
de middag-
   temperatuur
midden (in)

het milieu
de mist
de mistbank
mogelijk
nakijken
het netnummer
de oefening
onderbreken
onmiddellijk
opwachten
het plan
het postkantoor
prima
het punt
het raam
rond
schoon
schrijven
sluiten
de spreker
storen

het taoïsme
de test
tevreden
het toegangsnummer
toenemend
uitdelen
uitleggen
uitsluiten
uitspreken
de vergadering
vergeten
verlaten
vlak (bij)
volgen
de voorzitter
vorig
waarschuwen
de wind
het wolkenveld
de zakenrelatie
zorgen

Viel het mee of tegen?

A o-o **1** **Op zoek naar een kamer**

Gerrit Keizer	Zeg, die kamer waar je het laatst over had, is dat nog wat geworden?
Theo de Zeeuw	In de Parnassiastraat, bedoel je? O nee, dat viel erg tegen.
Gerrit Keizer	Hoezo, was het een kleine kamer?
Theo de Zeeuw	Nou, dat viel nog wel mee, hij was vier bij vijf.
Gerrit Keizer	Was het een zolderkamer?
Theo de Zeeuw	Nee, het was een kamer op de begane grond, naast de keuken. Maar er was veel te weinig licht, vond ik.
Gerrit Keizer	En je had zeker geen douche?
Theo de Zeeuw	Ja, toch wel, ze hadden een soort douchecabine in de keuken gemaakt.
Gerrit Keizer	En die kamer lag naast de keuken? Dat is een voordeel.
Theo de Zeeuw	Ik vind het juist een nadeel. Je hoort dan alle geluiden uit de keuken.
Gerrit Keizer	Ja, daar heb je gelijk in. Hoeveel was de huur eigenlijk?
Theo de Zeeuw	450.
Gerrit Keizer	Belachelijk! Dat is toch veel te duur! Gas en licht inbegrepen?
Theo de Zeeuw	Ja, het was wel all-in, maar ik vind het ook te duur.
Gerrit Keizer	En nu?
Theo de Zeeuw	Ik ga maar weer verder zoeken. Weet jij toevallig niets?
Gerrit Keizer	Nee, al sla je me dood. Maar als ik wat weet, dan hoor je het meteen.

Dat is een voordeel.

— En die kamer lag naast de keuken?
  Dat is een voordeel.

Negatief beoordelen

Het valt tegen.
Het is een nadeel.

— Zeg, die kamer waar je het laatst over had, is dat nog wat geworden?
— O nee, dat viel erg tegen.

— En die kamer lag naast de keuken? Dat lijkt me een voordeel.
— Ik vind het juist een nadeel. Je hoort dan alle geluiden uit de keuken.

Interviewer	Wat vindt u nou zo leuk aan Almere?
Anja Kastelein	Nou, in de eerste plaats toch wel het huis, hè?
Henk Kastelein	Ja, dat was de reden waarom wij uit Amsterdam weg wilden.
Interviewer	Woonde u daar niet goed?
Henk Kastelein	Nee, kijk, Amsterdam is natuurlijk een leuke stad, maar wij hadden daar een kleine bovenwoning.
Anja Kastelein	Ja, altijd maar die trappen op, hè? Ja, we woonden daar drie hoog en toen we die kleine kregen, moest ik altijd met die wandelwagen op en neer.
Henk Kastelein	Dat was niet te doen op den duur. Dus toen we hier een benedenhuis konden krijgen, hebben we dat meteen gedaan.
Anja Kastelein	En Patrick vindt het ook het einde. Die kan hier lekker in de tuin spelen. En daar zette ik hem op het balkon.

Interviewer	Dus u mist Amsterdam niet?
Henk Kastelein	Nee, niet echt.
Anja Kastelein	Helemaal niet, ik heb hier een mooie open keuken, een grote woonkamer, boven drie slaapkamers …
Interviewer	U hebt het ook leuk ingericht.
Anja Kastelein	Ja, dat is mijn man, hoor. Die is ontzettend handig. Hij heeft dat wandmeubel in elkaar gezet en die kasten in de keuken.
Henk Kastelein	Ja, wij hebben gezegd: alles nieuw. Dus we hebben een nieuwe leren bank gekocht en een nieuwe ronde tafel …
Anja Kastelein	Ja, alleen dat bureau hadden we ook al in het vorige huis.
Interviewer	U zou niet meer terug willen, begrijp ik?
Henk Kastelein	Nee, ik niet.
Anja Kastelein	O nee, voor geen goud!

De onvoltooid verleden tijd

1 De onvoltooid verleden tijd: stam + de(n)/te(n)

Stam + **te(n)**: als de stam eindigt op **-k, -p, -ch, -f, -s, -t** (**'t kofschip**).
Stam + **de(n)**: in de andere gevallen.

	maken	*kussen*	*stoppen*	*leren*	*spelen*
stam	maak	kus	stop	leer	speel
enkelvoud	maak**te**	kus**te**	stop**te**	leer**de**	speel**de**
meervoud	maak**ten**	kus**ten**	stop**ten**	leer**den**	speel**den**

Voor de onvoltooid verleden tijd van onregelmatige werkwoorden zie Appendix 3.

2 We gebruiken de onvoltooid verleden tijd om te vertellen over situaties uit het verleden.

Daarbij gaat het vaak om een **gewoonte** of om een **beschrijving**:
In Amsterdam moest ik altijd met de wandelwagen op en neer. Daar zette ik Patrick op het balkon. (Het gebeurde altijd, het was een gewoonte.)
Het was een kamer op de begane grond, naast de keuken. Maar er was veel te weinig licht. (Een beschrijving van de kamer.)
In Amsterdam hadden we een kleine bovenwoning. We woonden daar drie hoog. (Een beschrijving van de woning.)

Donatella Longhi

In Italië woonde ik met mijn ouders in een klein huis. Het was een huis tussen de bossen. We hadden geen buren en dat vond ik heel leuk, want ik houd niet van buren. We hadden een grote tuin, en onze drie honden waren de hele dag buiten in de tuin aan het spelen.

Maar hier in Nederland is het heel anders. We hebben hier geen tuin en we wonen niet tussen bossen, maar tussen drie of vier snelwegen. We hebben buren links, rechts, boven, beneden. Maar omdat ik niet van buren houd, zoals ik net al zei, hebben we geen contact met ze.

Naar: *Mijn droom en andere verhalen*. Centrum voor Anderstaligen, Nieuwegein, 1984.

Craig Dijkstra

In het begin vond ik alles in Nederland heel klein. In Amerika heb je veel meer ruimte. Ik woonde daar op een boerderij en ons huis had minstens tien kamers. En nu woon ik op een studentenflat van twaalf vierkante meter! Ik...ik vind wel dat Nederlanders hun huis mooier inrichten dan Amerikanen. In het weekend ga ik vaak naar Gouda, daar woont mijn tante. Die heeft een hele goede smaak. Haar huis is een combinatie van antiek en modern. Zij heeft een marmeren vloer en een prachtige glazen tafel. Maar ook een notehouten kastje uit de achttiende eeuw met een paar zilveren kandelaars. Dat zie je bij ons niet zo veel. Daar maken ze alles van plastic of nylon. En als iets vijftig jaar oud is, noemen ze het al antiek.

Jaime Alcantara Portuguez

In Nederland vind ik alles zo grijs. Bij ons in Mexico zie je veel meer kleuren: rood, oranje, geel, paars, rose. Maar in Nederland is alles grijs. Of blauw of donkerbruin. Nederlanders zitten ook altijd binnen. Bij ons speelt het leven zich veel meer op straat af. Dat komt natuurlijk ook door het klimaat. Als het erg koud is, blijf je liever bij de kachel. Dat vind ik wel een voordeel van Nederland: bijna overal heb je centrale verwarming, in huizen, scholen en openbare gebouwen. In Mexico kan het ook heel koud zijn. Maar de meeste huizen hebben geen verwarming.

Oppervlakte aangeven

... bij ... (meter)	— Was het een kleine kamer?
	— Nou, dat viel nog wel mee, hij was vier bij vijf.
... vierkante meter (m^2)	— Nu woon ik op een studentenflat van twaalf vierkante meter.

Het bijvoeglijk naamwoord: glazen, gesloten, oranje, plastic

---

1 Bijvoeglijke naamwoorden op -en, zoals glazen, leren, open, gesloten.

Ze heeft een marmeren vloer en een prachtige glazen tafel. Maar ook een notehouten kastje uit de achttiende eeuw met een paar zilveren kandelaars.

2 Sommige kleuren en materialen, zoals rose, oranje, plastic, nylon.

Thuis heb ik een oranje stoel.
Hij drinkt niet graag wijn uit een plastic beker.
Je kunt beter je nylon jack aantrekken met die regen.

D ▨ 4 Handje kontantje

1000 m2 Kijk- en Snuffelplezier

Voor hele lage prijzen bij ons prachtige ⇓

bankstellen
wandkasten   **NIEUW BIJ U IN DE BUURT !**
eethoeken
salontafels
losse fauteuils
slaapkamers
matrassen
klein spul
lampen
kantoormeubelen

modern en klassiek van alles wat !

☞ **Deze week bij ons binnengekomen :**

Rundlederen bankstel 3- zits + 2 fauteuils	nieuw 4250,-	bij ons	1250,-
Schitterende wandkast wengé wit met tv-bar		bij ons	875,-
Prachtig eiken bankstel 3 + 1 + 1, nieuwe kussens		bij ons	695,-
Auping ledikant 1 persoons verstelbare bodem		bij ons	195,-
Partij kantoorstoelen van alles wat		vanaf	20,-
Slaapkamerkasten 3 deurs		vanaf	195,-
Matrassen nieuw en gebruikt		vanaf	50,-
Schitterend wandmeubel 3 delig zwart/wit		bij ons	745,-
Mooi 2 delig wandmeubel zwart		bij ons	375,-
enz. enz.			

KOM SNEL KIJKEN........... DE MOEITE WAARD!!!

"HANDJE KONTANTJE"

 ## KOOPJESHAL

Bellamystraat 30 - 32 - 34 tel. 85 31 20
achter Kinkerstraat zijstraat ten Katemarkt
geopend dagelijks van 10.00 tot 17.00 uur.

Onroerend goed en woonruimte te huur gevraagd/aangeboden

Onroerend goed en woonruimte te huur gevraagd

1 uit die vele duizenden. Waarom IK? Als u een kamer hebt in Amsterdam, BEL!!! 071-133541, en u krijgt antw.

2 academici zoeken zeer dringend woonruimte in A'dam.

2 Kunstenmakers zkn. woon-/werkr. Utr., opkn. geen bezw. (woekerpr. wel).

2 studenten zoeken met spoed in A'dam zelfst. woonr. tot f 700.

2e jaars VU-student Rechten zoekt woonruimte in A'dam.

3 academici + 1 student zoeken i.v.m. werk/studie 4/5 kam

Edith, verpleegkundige zoekt ETAGE in A'dam.

Geneesk. stud. zoekt zelfst. woonr. in A'dam, aileen niet N., W. of Z.O., met keuken, douche, wc. Huur ca. f 400 en overn. indien red., i.b.v. urg. ½ jr.

Gezocht etage v. 2 pers. in/nabij centr. A'dam, max. f 800,- incl. (evt. tijdelijk).

Gezocht per 1 maart 2 pers. app. in A'dam-C. of -O.Z., hr. tot f 1000.
vragen naar L. v. Raan.

HELP!!!! student 20 jr. zoekt m. spoed woonruimte ± f 350 pers. jr

Onroerend goed en woonruimte te huur aangeboden

Aang. 3 kam.won. A'dam.-W. Hr. f 300. Br. o. nr. 132-28449 bur. v.d. blad.

Te huur. De maanden april, mei en juni a.s. willen wij ons 2e huis gelegen op het mooie platteland van Twente verhuren. Bosrijke omgeving. Huurprijs f 600,- p.m. + energie-

T.h. 4 k.won. 2½ jr. urg. + 1 kind vereist, overn. f 2.500. Hr. f 465.

T.h. in A'dam per 4/3 t/m 2/9 gestoff. kitchenette, douche, w.c., eig. opg., f 500 p.m. incl. Borg 1 mnd.

T.h. 1.60 x 3.30 oms

Per 15 maart uniek gelegen APPARTEMENTEN aan de Lochemseberg. Info appartement/hotel Bon Aparte, Lochemseweg.

T.h. voor 5 of 6 maanden vrijstaand luxe gemeub. woonhuis in APELDOORN.

I.h.a. v. 15 mrt.-15 dec. luxe gemeub. huis met tuin, nabij A'dam-C. Ind.: beg. grond hal, 2 k., badk. 1e verd.: zitk., keuken. 2e verd.: badk., sl.k., f 1500 p.m. all-in. Inl. 165464

Woonruimte aangeboden voor persoon die aktief wil aan projekt cen- an 80

6 De Dapperstraat

Natuur is voor tevredenen of legen.
En dan: wat is natuur nog in dit land?
Een stukje bos, ter grootte van een krant.
Een heuvel met wat villaatjes ertegen.

Geef mij de grauwe, stedelijke wegen,
De in kaden vastgeklonken waterkant,
De wolken, nooit zo schoon dan als ze, omrand
Door zolderramen, langs de lucht bewegen.

Alles is veel voor wie niet veel verwacht.
Het leven houdt zijn wonderen verborgen
Tot het ze, opeens, toont in hun hoge staat.

Dit heb ik bij mijzelve overdacht,
Verregend, op een miezerige morgen,
Domweg gelukkig, in de Dapperstraat.

J.C.Bloem, 'Quiet though sad.'

F

zich afspelen
all-in
de Amerikaan
antiek
het balkon
het bankstel
begaan
— de begane grond
het begin
de beker
belachelijk
beneden
het benedenhuis
de bodem
de boerderij
het bos
de bovenwoning
buiten
het bureau
de buur
centraal
— de centrale
  verwarming
de combinatie
dagelijks
donkerbruin
doodslaan
— al sla je me dood
de douche
de douchecabine
driedelig
driedeurs
driezits
eenpersoons
de eethoek

de eeuw
eiken
het einde
— iets het einde
  vinden
de fauteuil
het gas
het gebouw
het geluid
gesloten
glazen
het goud
— voor geen goud
grijs
handig
de hond
hoog
— drie hoog
de huur
inbegrepen
inrichten
de kachel
de kandelaar
het kantoormeubel
de kantoorstoel
de kast
de keuken
het kijkplezier
klassiek
de kleur
het klimaat
de koopjeshal
koud
laag
de lamp

het ledikant
leren (bn)
het leven
het licht
los
marmeren
de matras
minstens
modern
de moeite
— de moeite waard
  (zijn)
het nadeel
neer
— op en neer
noemen
notehouten
het nylon
nylon
ontzettend
open
openbaar
oranje
de ouder
paars
het plastic
plastic
prachtig
de reden
rose
de ruimte
rundlederen
de salontafel
schitterend
de slaapkamer

de slaapkamerkast
de snelweg
het snuffelplezier
het spul
de stoel
de studentenflat
de tante
tegenvallen
terug
toevallig
de trap
tweedelig
verstelbaar
de verwarming
— de centrale
  verwarming
vierkant
de vloer
het voordeel
waard
— de moeite waard
  (zijn)
de wandelwagen
de wandkast
het wandmeubel
weg
wengé
de woonkamer
de zijstraat
zilveren
zoeken
— op zoek naar
de zolderkamer

14 Van harte beterschap!

A 🔊 1 Bij de huisarts

Dokter Mulder	Mevrouw Werner.
Margret Werner	Ja.

Dokter Mulder	Goedemorgen, mevrouw Werner.
Margret Werner	Dag dokter.
Dokter Mulder	Wat kan ik voor u doen?
Margret Werner	Ik heb de laatste tijd zo'n last van hoofdpijn.
	Ja, iedereen heeft natuurlijk wel eens hoofdpijn, maar dit is wel wat anders, want het gaat maar niet over.
	Daar maak ik me een beetje zorgen over.
Dokter Mulder	Hoe lang heeft u daar al last van?
Margret Werner	Een paar weken.
Dokter Mulder	Hebt u het de hele dag?
Margret Werner	Nee, vooral op mijn werk.
Dokter Mulder	Wat doet u voor werk?
Margret Werner	Ik werk op een kantoor.
	Ik zit regelmatig achter een computer.

Dokter Mulder	Bent u vaak verkouden?
Margret Werner	Af en toe.
Dokter Mulder	Last van duizeligheid?
Margret Werner	Nee.
Dokter Mulder	Hebt u moeite met lezen?
Margret Werner	Ja, af en toe.
Dokter Mulder	Dan zullen we eerst de bloeddruk eens meten .... Hm die is goed. Buig nu uw hoofd eens naar voren. Doet dat pijn?
Margret Werner	Nee, dat doet geen pijn.
Dokter Mulder	Ik denk dat u hoofdpijn heeft omdat uw ogen achteruitgegaan zijn. Waarschijnlijk heeft u een bril nodig.
Margret Werner	O, gelukkig.
Dokter Mulder	Hoezo?
Margret Werner	Nou, ik was bang dat het iets ernstigs was.
Dokter Mulder	Nee, daar lijkt het niet op. Ik zal u een verwijsbriefje voor de oogarts geven. Hoe bent u verzekerd, ziekenfonds of particulier?
Margret Werner	Ziekenfonds.
Dokter Mulder	Alstublieft.
Margret Werner	Dank u wel. Tot ziens dokter.
Dokter Mulder	Dag mevrouw Werner.

Verontrusting uitdrukken

Ik ben bang voor/dat ...	— Waar was u bang voor? — Ik was bang dat het iets ernstigs was.
Ik maak me zorgen over ...	— Wat kan ik voor u doen? — Ik heb zo'n last van hoofdpijn. Daar maak ik me zorgen over.

Pijn uitdrukken

Ik heb last van ... **Ik heb pijn in mijn ...**	— Heeft u last van duizeligheid? — Af en toe.
Het/dat doet pijn	— Doet dat pijn? — Nee, dat doet geen pijn.

2 Lichaamsdelen

het haar — het hoofd

het oog

de neus

het oor — de mond

de nek

de schouder

de borst

de arm

de navel

de buik

de heup

het been

de knie

Telefoniste	Polikliniek Sint Jan. Afsprakenbureau.
Margret Werner	Goedemorgen, met mevrouw Werner.
	Ik wilde een afspraak maken met dokter Lim, de oogarts. Hopelijk hoef ik niet al te lang te wachten?
Telefoniste	Het kan over twee weken.
Margret Werner	O, dat valt mee.
Telefoniste	Donderdagmiddag 14 april, kan dat?
Margret Werner	Ik kan nooit op donderdag. Zou het op een andere dag kunnen?
Telefoniste	Nee, het spijt me, dokter Lim heeft hier alleen spreekuur op donderdag.
Margret Werner	Nou, dan moet het maar op donderdag.
Telefoniste	Goed, dan noteer ik u voor donderdag 14 april, 15.00 uur.
	Kunt u uw naam nog een keer zeggen?
Margret Werner	Mevrouw Werner.
Telefoniste	Ik wil ook graag uw adres en telefoonnummer hebben.
Margret Werner	Draadzegge 33, Laren, telefoon 02153-91976.
Telefoniste	Dank u wel.

Opluchting uitdrukken

O, gelukkig.	— Waarschijnlijk heeft u een bril nodig.
	— O, gelukkig. Ik was bang dat het iets ernstigs was.
Dat valt mee.	— Het kan over drie weken.
	— O, dat valt mee.

Jeannette	Hé, hallo Michel, tijd niet gezien, zeg. Hoe gaat het ermee?
Michel	Goed, dank je.
Jeannette	En met Andrea?
Michel	Nou, niet zo goed. Ze ligt al een paar weken in het ziekenhuis.
Jeannette	O ja? Wat scheelt haar?
Michel	Ze heeft een ongeluk gehad. Ze ging even boodschappen doen op de fiets en toen heeft een auto haar aangereden. Die man keek niet goed uit.
Jeannette	Wat vreselijk! Wat had ze?
Michel	Een gebroken been en verder een flinke wond aan haar hoofd.
Jeannette	Nee! Wat hebben ze gedaan?
Michel	Ze hebben haar geopereerd en een plaat in het been gezet. Ze heeft heel veel pijn gehad.
Jeannette	Moet ze nog lang in het ziekenhuis blijven?
Michel	Ik hoop dat ze volgende week weer thuiskomt.
Jeannette	Wens haar in ieder geval beterschap van me.
Michel	Dat zal ik doen.
Jeannette	En jij ook het beste, Michel.
Michel	Bedankt. En de groeten aan Robert.
Jeannette	Zal ik doen. Dag.

Vragen naar een ziekte

Wat heeft u/heb je, enzovoort.	— Ze heeft een ongeluk gehad. — O, wat vreselijk! Wat had ze? — Een gebroken been en een wond aan haar hoofd.
Wat scheelt haar/hem?	— Andrea ligt al een paar weken in het ziekenhuis. — O ja? Wat scheelt haar?

Het beste wensen

Van harte beterschap	— Wens haar in ieder geval beterschap van me.
	— Dat zal ik doen.
Het beste	— En jij ook het beste, Michel.
	— Bedankt.

Hoop uitdrukken

Ik hoop dat ...	— Moet Andrea nog lang in het ziekenhuis blijven?
	— Ik hoop dat ze volgende week weer thuiskomt.
Hopelijk	— Hopelijk hoef ik niet al te lang te wachten?
	— Het kan over twee weken.
	— O, dat valt mee.

Verslagenheid uitdrukken

Wat vreselijk!	— Andrea heeft een ongeluk gehad.
Dat is vreselijk!	— O, wat vreselijk! Wat had ze?
Nee!	— Een gebroken been en een wond aan haar hoofd.
	— Nee!

D 5 Ziek en gezond tegelijk

Rob de Wit was de linksvoor van Ajax en een jonge, uitstekende voetballer. Maar vorig jaar leek het zomaar afgelopen met zijn carrière. Zijn lichaam wilde ineens niet meer meedoen. Uit onderzoek in het ziekenhuis bleek dat hij een hersenbloeding had gehad.

Rob de Wit vertelt: 'Ik zag mijn hele wereld instorten. Nooit meer voetballen, dacht ik meteen. Je komt in een ziekenhuis terecht en later in een revalidatiecentrum. Na een tijdje begon ik me te realiseren dat ik alleen weer gezond kon worden als ik daar heel hard voor ging werken. Dat doe ik nu. Ik kan alweer hardlopen en ik train erg veel. Ik móét en zál bij Ajax terugkomen.'

Naar: *Keesings Blikopener*, januari 1987

6 Strijd

Bijna altijd als je een interview leest met iemand die iets ergs heeft, krijg je het idee dat die mensen veel beter met hun leven kunnen omgaan dan veel gezonde mensen. Het kost natuurlijk altijd veel strijd om je handicap of ziekte te accepteren. Maar het lijkt net of deze mensen zich beter realiseren hoe belangrijk alles is wat je wel kunt.

Zo vertelt de bekende schrijfster Annie Schmidt: 'Als iemand mij vroeger verteld zou hebben dat ik niet meer zou kunnen lezen, dan zou ik gedacht hebben: "Dan ben ik maar liever dood". Toen kreeg ik iets aan mijn ogen en nu kan ik niet meer lezen. Ik heb toen inderdaad even gedacht: "Het hoeft allemaal niet meer." Maar na een tijdje ontdek je wat er allemaal nog over is, en hoeveel nieuwe dingen je ervoor in de plaats krijgt. En nu zeg ik: ja, ik vind het leven eigenlijk nog altijd heerlijk.'

Naar: *Keesings Blikopener*, januari 1987.

Weglating persoonsvorm + onderwerp

> **Als het onderwerp twee keer in een zin voorkomt, kan het de tweede keer worden weggelaten. Vaak samen met de persoonsvorm.**
>
> Rob de Wit was de linksvoor van Ajax en (hij was) een jonge, uitstekende voetballer.
> Je komt in een ziekenhuis terecht en (je komt) later in een revalidatiecentrum.
> Ze hebben haar geopereerd en (ze hebben) een plaat in het been gezet.

E 7 Een medisch onderzoek

gezondheidszorg

ONGEVALLEN-ALARMNUMMER

Telefoon 06-11

AMBULANCE-ZIEKENVERVOER

Centrale Post Ambulancevervoer
Adres: Beresteinseweg 14, Hilversum, tel. 035-215556.

APOTHEKEN

Apotheek Eemnes
Adres: Molenweg 2a, tel. 82066.
Openingstijden: maandag t/m vrijdag van 8.30-18.00 uur en zaterdag van 10.00-13.00 uur.
Avond-, nacht- en weekenddiensten:
In samenwerking met de apotheken uit Laren en Blaricum.
Raadpleeg daarvoor het antwoordapparaat van uw apotheek.

HUISARTSEN

Th. J.M. Beijerinck, Wakkerendijk 5, tel. 86147.
Spreekuur: maandag t/m vrijdag uitsluitend volgens afspraak.
Opbeltijd: 8.00-10.30 uur en 15.30-16.30 uur.
Telefonisch spreekuur: van 13.00-13.30 uur.
P.R. Hoekstra, Kerkstraat 5, tel. 83827.
Spreekuur: maandag t/m vrijdag uitsluitend volgens afspraak.
Telefonisch spreekuur: van 13.00-13.30 uur.
Opbeltijd: van 8.00-10.00 uur.
H.G. Sandelowsky en mevr. W.C. Sandelowsky-van Maarseveen
Molenweg 13, tel. 82383.
Spreekuur: maandag t/m vrijdag uitsluitend volgens afspraak.
Telefonisch spreekuur: van 13.30-14.00 uur.
Voor het maken van afspraken voor huisbezoek; telefonisch 8.00-10.00 uur.

TANDARTSEN

V.J.D. Arnolds, Kerkstraat 7, tel. 15291.
Behandeling alleen volgens afspraak. Afspraken dienen telefonisch te worden gemaakt van maandag t/m donderdag tussen 12.30-13.30 uur.
E.G. Kramer en J.P. Korsten, Wakkerendijk 64 (Gezondheidscentrum), tel. 89402.
Behandeling: alleen volgens afspraak. Afspraken dienen telefonisch te worden gemaakt tussen 8.45-12.00 uur.

FYSIOTHERAPEUTEN

J.M. Schotsman, Roerdomp 12, tel. 11028.
Spreekuur: volgens telefonische afspraak.
M.N. van der Sluijs
Adres: Hasselaarlaan 18, tel. 82390.
Spreekuur: volgens telefonische afspraak.
H. Steltenpool en mevr. L. Steltenpool-Maas
Adres: Wakkerendijk 11a, tel. 86151.
Spreekuur: volgens telefonische afspraak.

KRUISVERENIGING

Eemnesser Kruisvereniging
Secretariaat: Wakkerendijk 52.
Wijkverpleegkundigen: mevr. K. Louwerman, mevr. J. Meester, mevr. H. van Vliet.
Wijkgebouw: Gezondheidscentrum Eemnes, Wakkerendijk 62a, tel. 82566.
Spreekuur wijkverpleegkundigen: maandag t/m vrijdag van 13.00-14.00 uur.
Uitleenartikelen: Oude Kerkweg 2, 8.45-11.45 uur.
Consultatiebureau voor zuigelingen en kleuters:
Volgens afspraak via wijkverpleegkundigen.
Zwangerschapsgymnastiek: afspraak via tel. 12676.
Kraamcentrum: telefonisch aanmelden bij Kraamcentrum Hilversum, tel. 035-858182.
Spreekuur verloskundige Zr. mevr. M. Kooy: volgens afspraak, tel. 02152-53956.

ZIEKENFONDS

A.N.O.Z., Algemeen Nederlands Onderling Ziekenfonds
Kantoor: Meinsstraat 2, Nijkerk, tel. 03494-53345.
Geopend: van maandag tot en met vrijdag van 8.30-12.00 uur en van 13.30-16.00 uur.

Ziekenfonds Het Gooi- en Omstreken
Gooierserf 131, 1276 HG Huizen, tel. 02152-82911.
Geopend: van maandag t/m vrijdag van 8.30-16.00 uur.
Infokantoor: Noordsebosje 18a, Hilversum, tel. 02152-82911.
Geopend: van maandag t/m vrijdag van 8.30-12.30 uur en van 13.00-16.00 uur.

R.Z.M.N. Stichting Regionaal Ziekenfonds Midden-Nederland
Corr. adres: Postbus 8125, 3503 RC Utrecht, tel. 030-825911.

ZIEKENHUIZEN

St. Jans Ziekenhuis
Adres: Eemnesserweg 14, Laren, tel. 91611.
Bezoekuren: Volwassenen: dagelijks van 13.30-14.15 uur en van 18.30-19.30 uur.
Polikliniek: tel. 89496.
Afspraken maken met specialisten van maandag tot en met vrijdag van 8.00-17.00 uur (spoedgevallen dag en nacht tel. 91727).
Laboratorium: tel. 91622.
Geopend voor bloed- en urineonderzoek van maandag tot en met vrijdag van 8.00-15.00 uur, via verwijzing door huisarts of specialist.
Opname in het ziekenhuis: tel. 91690.
Maatschappelijk werk: tel. 91611 tst. 708.
Spreekuur: maandag van 9.00-15.00 uur; dinsdag van 9.00-16.00 uur; woensdag van 9.00-13.00 uur; donderdag van 9.00-16.00 uur; vrijdag van 9.00-12.00 uur.
De ingang van de poliklinieken, laboratorium en de röntgenafdeling is geopend van maandag tot en met vrijdag van 8.00-18.00 uur. Buiten deze tijden bereikbaar via de hoofdingang.

Ziekenhuis ,,Gooi Noord"
Polikliniek Psychiatrie en Dagcentrum.
P/a Majella Ziekenhuis, Nieuwe Hilversumseweg 20, Bussum, tel. 02159-754111.

Uit: *Zorg voor gezondheid*, Keesings Blikopener no. 5, jan. 1987.

F

aanrijden
accepteren
achteruitgaan
af
— af en toe
aflopen
de afspraak
het afsprakenbureau
alweer
de arm
het been
de beterschap
— van harte
  beterschap
blijken
de bloeddruk
de boodschap
de borst
de bril
buigen
de buik
de carrière
de dokter
de donder-
  dagmiddag
de duizeligheid

ernstig
de fiets
flink
gebroken
gelukkig
het geval
gezond
de groet
de handicap
hardlopen
het hart
— van harte
  beterschap
de hersenbloeding
de heup
het hoofd
de hoofdpijn
hopelijk
de huisarts
instorten
het kantoor
de last
— last hebben van
het lichaam
het lichaamsdeel
de linksvoor

de mond
de navel
de nek
de neus
noteren
omgaan met
het oog
de oogarts
het oor
opereren
overgaan
particulier
de pijn
de plaat
de polikliniek
zich realiseren
regelmatig
het revalidatie-
  centrum
schelen
— wat scheelt je?
de schouder
de schrijfster
het spreekuur
de strijd

tegelijk
terechtkomen
terugkomen
thuiskomen
toe
— af en toe
trainen
uitkijken
verkouden
de verwijsbrief
verzekerd
de voetballer
voren
— naar voren
vreselijk
vroeger
waarschijnlijk
wensen
de wond
ziek
het ziekenfonds
het ziekenhuis
de ziekte
zomaar
de zorg

5 Moet dat echt?

A 1   In een buurthuis

Santiago Ledesma	Ik wil graag informatie over de cursussen Nederlands.
Renske Tollenaar	Wat wilt u weten?
Santiago Ledesma	Wanneer beginnen de cursussen?
Renske Tollenaar	Dat hangt ervan af. Wilt u zich opgeven voor een beginners- of een gevorderdencursus?
Santiago Ledesma	Ik weet het niet precies. Misschien een beginnerscursus.
Renske Tollenaar	Maar u spreekt al wat Nederlands. Volgens mij kunt u beter een cursus voor gevorderden doen.
Santiago Ledesma	O, maar ik spreek maar een heel klein beetje Nederlands.
Renske Tollenaar	Maar u bent ook geen echte beginner meer. De beginnerscursus is voor mensen die nog helemaal geen Nederlands spreken.

	Santiago Ledesma	Wanneer begint die gevorderdencursus?

Santiago Ledesma — Wanneer begint die gevorderdencursus?
Renske Tollenaar — Volgende week.
Santiago Ledesma — Dat is goed.
Renske Tollenaar — Nee, nee, dat gaat niet.
Alles zit bijna vol.
Ik weet niet of er nog plaats is.
Dat moet ik eerst even nakijken.
Santiago Ledesma — Op welke dag is de cursus?
Renske Tollenaar — We hebben een cursus op maandag, dinsdag en donderdag.
Santiago Ledesma — Drie keer per week?
Renske Tollenaar — Nee, de cursus is een keer per week, op maandagochtend, dinsdagmiddag of donderdagmiddag.
Santiago Ledesma — Niet 's avonds?
Renske Tollenaar — Nee, alleen overdag.
Maar het is niet zeker of we nog een plaats voor u hebben. Ik kijk even.
Nee, het spijt me, alles is vol.
Santiago Ledesma — Wanneer beginnen de volgende cursussen?
Renske Tollenaar — Dat is pas over een half jaar.
Santiago Ledesma — Kan ik nu toch niet meedoen?
Renske Tollenaar — Nee, dat kan echt niet.
Ik kan u wel op de wachtlijst zetten.
Santiago Ledesma — Nou, doet u dat dan maar.

2 Activiteitenschema buurthuis De Driehoek

	ma	di	wo	do
Gymnastiek voor ouderen	09-10			09-10
Jazzballet dames		17-18		18-19
Jazzballet gemengd	18-19			19-20
Inleiding tekstverwerking	20-22			
Naaien			15-17	
Nederlands voor buitenlanders beginners	13-15	15-17		13-15
Nederlands voor buitenlanders gevorderden	10-12	13-15		15-17
Spaans conversatie			19-21	
Frans conversatie			19-21	
Fietsen repareren (eigen fiets meenemen)		19-21		
Conditietraining heren	17-18		18-19	
Fotografie inleiding		14-16		20-22

Zeggen dat iets niet zeker is

Het is niet zeker of ...
Ik weet niet of ...
Het/Dat hangt ervan af.
Het/Dat hangt van ... af.
Misschien.

— Is de cursus niet 's avonds?
— Nee, alleen overdag. Maar het is niet zeker of we nog een plaats voor u hebben.

— Wanneer begint de gevorderdencursus?
— Volgende week. Maar ik weet niet of er nog plaats is.

— Wanneer beginnen de cursussen?
— Dat hangt ervan af.

— Wilt u zich opgeven voor een beginners- of een gevorderdencursus?
— Ik weet het niet precies. Misschien een beginnerscursus.

Geen toestemming geven

Het/Dat spijt me.
— Kan ik meedoen met de cursus Nederlands?
— Nee, het spijt me, alles is vol.

Het/Dat gaat niet.
— Ik kom volgende week.
— Nee, nee, dat gaat niet.

Het/Dat kan niet.
Het/Dat is niet mogelijk.
— Kan ik nu toch niet meedoen?
— Nee, dat kan echt niet.

Op een technische school

Abderrahim Badr	Ik heb me laatst opgegeven voor Elektrotechniek. Kunt u mij inlichtingen geven over het toelatingsexamen?
Kees Stellingwerf	Wat is uw naam?
Abderrahim Badr	Abderrahim Badr.
Kees Stellingwerf	Moment, dan pak ik even uw formulier. U bent Marokkaan, zie ik?
Abderrahim Badr	Dat klopt.
Kees Stellingwerf	Nou, in ieder geval moet u dan een examen Nederlands doen.
Abderrahim Badr	Maar ik woon al twee jaar in Nederland. Moet dat echt?
Kees Stellingwerf	Ja, u moet toch dat examen afleggen. Wat is uw vooropleiding?
Abderrahim Badr	Ik heb in Marokko de middelbare school gedaan.
Kees Stellingwerf	O ja, dat zie ik hier staan. Hebt u uw diploma bij u?
Abderrahim Badr	Nee, dat is nog in Marokko.
Kees Stellingwerf	Maar we moeten weten met welke cijfers u geslaagd bent.
Abderrahim Badr	Is dat echt nodig?
Kees Stellingwerf	Ja, als u voor wiskunde, natuurkunde en Engels lage cijfers had, moet u ook nog in die vakken examen doen.
Abderrahim Badr	O, maar ik had allemaal goede cijfers.
Kees Stellingwerf	Dan hoeft u geen examen in die vakken te doen. Maar we willen dat toch even controleren.
Abderrahim Badr	Dus ik moet echt mijn diploma laten zien?
Kees Stellingwerf	Ja, dat kan niet anders.
Abderrahim Badr	Wanneer is het examen Nederlands?
Kees Stellingwerf	Dat is dit jaar op 23 en 24 juni. Maar zorgt u nu eerst dat wij uw diploma krijgen.
Abderrahim Badr	Kan ik hier anders niet studeren?
Kees Stellingwerf	Nee, dat is niet mogelijk.
Abderrahim Badr	Goed, ik zal mijn best doen. Bedankt voor uw informatie.
Kees Stellingwerf	Graag gedaan, dag meneer Badr.

Vrijstelling vragen

Moet het/dat (echt)?
Is het/dat (echt) nodig?
Moet ik (echt) ... doen?

— Nou, in ieder geval moet u dan een examen Nederlands doen.
— Maar ik woon al twee jaar in Nederland. Moet dat echt?

— Ja, maar wij moeten weten met welke cijfers u geslaagd bent.
— Is dat echt nodig?

— Dus ik moet echt mijn diploma laten zien?
— Ja, dat kan niet anders.

Vrijstelling geven

U hoeft niet/geen ... te doen

— Ik had allemaal goede cijfers.
— Dan hoeft u geen examen in die vakken te doen.

Geen vrijstelling geven

U moet ... doen.
Het/Dat kan niet (anders).

— Ik woon al twee jaar in Nederland. Moet ik echt dat examen doen?
— Ja, u moet toch dat examen afleggen.

— Dus u moet echt mijn diploma hebben?
— Ja, dat kan niet anders.

Moeten/hoeven + ontkenning (+ te)

Vraag met moeten?
Bij ontkenning: hoeven + ontkenning (+ te) in het antwoord.

— Moet ik examen doen?
— Nee, dat hoeft niet.
   Nee, u hoeft geen examen te doen.

```
   ᷄ᴋᴏʀᴀᴎᴳ). ᵀ ᴠ  ᴏᴄ ᷄70 ᴛᴀ
33808.                         | len me
                               | geluids
Braziliaan geeft lessen        | In juli:
Portugees in ruil voor conver- | camera
satie Nederlands. Gilberto,    | werkinᴳ
010-876543.                    | mach.
Cursusreizen Frans en Engels   | licht. V
ᴠᴀᴎ EDUCATIONAL HOLL           | (9 t/m
                               | der4 (
```

Gilberto Riveira	Ja.
Harm-Jan Heddema	Met Harm-Jan Heddema.
	Spreek ik met Gilberto?
Gilberto Riveira	Ja.
Harm-Jan Heddema	Ik heb je advertentie gelezen over Portugese les.
	Ik heb daar wel belangstelling voor.
Gilberto Riveira	O, leuk. Maar heb je begrepen dat ik dan van jou Nederlandse les wil?
Harm-Jan Heddema	Ja, dat vind ik juist een prima idee.
	Maar jij spreekt al goed Nederlands, zeg!
Gilberto Riveira	Ja, redelijk, maar ik maak nog heel veel fouten.
	Heb je al eerder lesgegeven?
Harm-Jan Heddema	Nee, nog nooit, maar ik studeer Nederlands.
Gilberto Riveira	O, maar ik wil absoluut geen grammatica, hoor.
	Ik wil alleen maar vloeiend Nederlands leren praten.
Harm-Jan Heddema	Heb jij wel eens lesgegeven?
Gilberto Riveira	Ja, ik geef regelmatig conversatieles.
	En in Brazilië was ik onderwijzer.
	Spreek jij al een beetje Portugees?
Harm-Jan Heddema	Nee, nog niet. Maar ik ga van de zomer op vakantie naar Brazilië. En dan is het handig om een paar woorden Portugees te kunnen praten.
Gilberto Riveira	Zullen we een afspraak maken?
	Kun je donderdagavond?
Harm-Jan Heddema	Nee, dan heb ik altijd conditietraining.
	Wat denk jij van dinsdagavond?
Gilberto Riveira	Nee, dan kom ik vaak heel laat thuis.
	Maandagavond misschien?
Harm-Jan Heddema	Dat is goed. Doen we het bij jou of bij mij?
Gilberto Riveira	Kom maar naar mij toe.
	Ik woon in de Kruisstraat 54.
Harm-Jan Heddema	Zal ik dan om een uur of half acht komen?
Gilberto Riveira	Eh, liever iets later, acht uur, half negen.
	Ik eet meestal niet zo vroeg.
Harm-Jan Heddema	Goed, dan kom ik om acht uur. Tot dan, hè.
Gilberto Riveira	Ja, tot ziens.

Frequentie

nooit
  wel eens, soms, af en toe
    vaak
      meestal
        regelmatig, ... keer per ...
          altijd, steeds

Ik heb nog nooit eerder lesgegeven.
Heb jij wel eens lesgegeven?
Dinsdagavond kom ik vaak heel laat thuis.
Ik eet meestal niet zo vroeg.
Ik geef regelmatig conversatieles.
Donderdagavond heb ik altijd conditietraining.

Graduering

helemaal geen/niet, absoluut geen/niet
  geen
    een (heel) klein beetje, een paar
      een beetje, iets, wat
        redelijk (veel)
          veel
            heel veel
              alleen maar

De beginnerscursus is voor mensen die nog helemaal geen Nederlands spreken.
Maar u bent ook geen echte beginner meer.
Ik spreek maar een heel klein beetje Nederlands.
U spreekt al wat Nederlands.
Ik spreek redelijk Nederlands.
Ik maak nog heel veel fouten.
Ik wil alleen maar vloeiend Nederlands leren praten.

Leerplicht

Elk kind dat in Nederland woont heeft vanaf vier jaar het recht om naar school te gaan. Maar Nederland kent ook de leerplicht, dat betekent dat ouders de plicht hebben om hun kinderen in de leeftijd tussen vijf en zestien jaar onderwijs te laten volgen. Zij mogen hun kinderen dus niet thuis houden.

Hoe is het onderwijs in Nederland geregeld?

Kinderen van vier tot twaalf jaar gaan naar de basisschool. Na de basisschool kunnen de leerlingen overstappen naar het voorgezet onderwijs. Er zijn twee vormen van voortgezet onderwijs:
1 algemeen voortgezet onderwijs, in dit onderwijs worden de leerlingen nog niet voorbereid op een beroep;
2 beroepsgericht onderwijs, hier leren de leerlingen een vak of worden ze voor een bepaald beroep voorbereid.
In het voortgezet onderwijs beginnen de leerlingen met een of meerdere brugjaren. Op alle scholen zijn de lessen in de brugklas bijna hetzelfde. Op die manier kunnen de leerlingen na de brugklas gemakkelijk naar een ander schooltype overstappen.

Het algemeen voortgezet onderwijs

Tot het algemeen voortgezet onderwijs behoren:
1 de mavo, deze school duurt vier jaar en geeft toegang tot het middelbaar beroepsonderwijs;
2 de havo, deze school duurt vijf jaar en geeft toegang tot het hoger beroepsonderwijs;
3 het voorbereidend wetenschappelijk onderwijs (v.w.o.); het v.w.o. duurt zes jaar en geeft toegang tot de universiteit.

Het beroepsonderwijs

In het beroepsonderwijs worden de leerlingen direct opgeleid voor een vak of beroep. Er zijn drie niveaus:
1 lager beroepsonderwijs (l.b.o.),
2 middelbaar beroepsonderwijs (m.b.o.),
3 hoger beroepsonderwijs (h.b.o.).
In het beroepsonderwijs kunnen de leerlingen kiezen uit verschillende richtingen, zoals technisch onderwijs, economisch en administratief onderwijs of agrarisch onderwijs.

Naar: *Kies*, Ministerie van Onderwijs en Wetenschappen, november, 1985.

Onderwijsschema

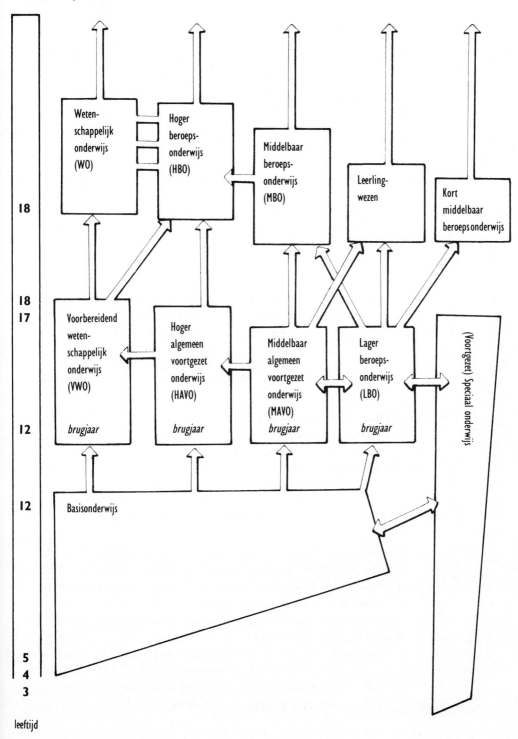

leeftijd

Rooster cursus Nederlands voor aspirant-studenten

dag	tijd	vak	docent	lokaal
ma.	9-11	Geschiedenis	Lex van Rooijen	302
	11-12	Geschiedenis	Lex van Rooijen	204
	12-13	pauze		
	13-15	Engels	Wendy Fletcher	116
di.	9-12	Nederlands	Eddy Hermans	221
	12-13	pauze		
	13-15	Nederlands	Marjan Brood	302
do.	9-11	Nederlands	Ruud Mertens	109
	11-12	Nederlands	Ruud Mertens	302
	12-13	pauze		
	13-15	Nederlands	Linda Stam	221
vr.	9-10	Nederlands	Ruud Mertens	302
	10-11	Wiskunde	Henk Boelen	302
	11-12	Wiskunde	Henk Boelen	204
	12-13	pauze		
	13-15	Nederlands	Linda Stam	221

Vakanties
14 oktober t/m 20 oktober (herfstvakantie)
23 december t/m 4 januari (kerstvakantie)
6 februari t/m 10 februari (voorjaarsvakantie)
24 maart t/m 31 maart (paasvakantie)

7 Toelatingsbepalingen van een technische school

De regels voor het toelatingsexamen van een technische school zijn:
1 Alle anderstalige studenten moeten een examen Nederlands afleggen.
2 Anderstalige studenten die geen middelbare-schooldiploma kunnen laten zien/bezitten, moeten een toelatingsexamen doen voor de volgende vakken: Nederlands, Algemene ontwikkeling, Engels, Wiskunde en Natuurkunde.
3 Anderstalige studenten die wel een diploma kunnen laten zien, maar lage cijfers behaalden bij het eindexamen voor de middelbare school voor de vakken Wiskunde en/of Natuurkunde en/of Engels, moeten in dat vak/die vakken toelatingsexamen doen.

8 Toelatingscriteria tot het land Fictivia

Voor toeristen die het land Fictivia willen bezoeken gelden de volgende regels:
— Personen met de nationaliteit van een Afrikaans of Aziatisch land moeten een geldig paspoort hebben.
— Personen uit landen uit de Europese Gemeenschap hebben een geldig paspoort en een visum nodig.
— Personen uit andere landen hebben geen toegang tot Fictivia.

9 Toewijzingsbeleid woningen in Anna-Johannapolder

In de gemeente Anna-Johannapolder gelden de volgende regels bij de verdeling van woningen:

— alleenstaande tot 30 jaar	woning met 2 kamers
— alleenstaande vanaf 30 jaar	woning met 2 of 3 kamers
— paar	woning met 3 kamers
— huishouden met 1 kind	woning met 3 of 4 kamers
— huishouden met 2 kinderen	woning met 4 kamers
— huishouden met 3 kinderen	woning met 4 of 5 kamers

Woningen met 2 of 3 kamers op de begane grond of eerste verdieping zijn voor ouderen vanaf 60 jaar. Ook woningen met een lift zijn in principe voor ouderen.

F

het activiteiten-
    schema
administratief
afhangen van
— dat hangt ervan af
afleggen
— een examen
    afleggen
agrarisch
algemeen
de basisschool
de beginner
de beginnerscursus
behoren tot
het beroep
beroepsgericht
het beroeps-
    onderwijs
de Braziliaan
het brugjaar
de brugklas
het buurthuis
het cijfer

de conditietraining
controleren
de conversatie
de conversatieles
de cursus
de dame
de dinsdagavond
de dinsdagmiddag
het diploma
direct
de elektrotechniek
het examen
de fotografie
de fout
gemakkelijk
gemengd
gevorderd
de gevorderden-
    cursus
de grammatica
de gymnastiek
de havo
hetzelfde

de inleiding
het jazzballet
de leeftijd
de leerling
de leerplicht
lesgeven
de maandagavond
de maandagochtend
de Marokkaan
de mavo
meenemen
middelbaar
de natuurkunde
het niveau
de onderwijzer
zich opgeven
opleiden
de oudere
overstappen
Portugees
redelijk
de richting
de ruil

— in ruil voor
het schooltype
slagen
Spaans
studeren
technisch
de tekstverwerking
het telefoongesprek
de toegang
het toelatingsexamen
de universiteit
het vak
de vakantie
vloeiend
vol
voorbereidend
de vooropleiding
voortgezet
de vorm
vroeg
de wachtlijst
wetenschappelijk
de wiskunde

16 Wat voor werk doet u?

A ◦-◦ 1 Bij een uitzendbureau

Humphrey Tamara	Goedemiddag, ik zoek een baantje.
Intercedente	Wat is uw beroep?
Humphrey Tamara	Ik ben student.
Intercedente	En wat voor werk zoekt u?
Humphrey Tamara	Dat maakt niet uit.
Intercedente	In welke periode bent u beschikbaar? Zoekt u vakantiewerk?
Humphrey Tamara	Ja, ik zoek iets in juni en juli.
Intercedente	Hm, moeilijk. Wilt u schoonmaakwerk doen?
Humphrey Tamara	Hebt u niets anders? Ik heb dat vorig jaar ook gedaan, maar dat is me toen slecht bevallen.
Intercedente	Ja, u bent natuurlijk niet de enige die in die periode iets zoekt. Heeft u een rijbewijs?
Humphrey Tamara	Nee, maar ik heb wel een typediploma. Hebt u ergens op een kantoor of zo geen werk voor me?

Intercedente	Nee, niets, alleen schoonmaakwerk.
	O, wacht even. Dit bedrijf zoekt iemand voor
	administratief werk. Misschien is dat iets voor u.
	Het is wel buiten de stad.
Humphrey Tamara	O, dat doet er niet toe.
	Van wanneer tot wanneer is het?
Intercedente	Van 15 juni tot 15 augustus.
Humphrey Tamara	Nee, in augustus ben ik al weg.
Intercedente	Niet in augustus. Wanneer wilt u beginnen?
Humphrey Tamara	Dat kan me niet schelen. Nu, als het moet.
	Krijgt u nog ander werk binnen, denkt u?
Intercedente	Tja, dat is moeilijk te zeggen.
	U kunt het beste dit formulier invullen.
	Dan kunnen we u bellen, als we iets geschikts
	voor u hebben. En misschien moet u het ergens
	anders nog eens proberen.
Humphrey Tamara	Ja, dat zal ik doen, dank u wel.

Geen voorkeur hebben

Het/Dat doet er niet toe.	— Het is een baantje buiten de stad.
	— O, dat doet er niet toe.
Het/Dat kan me niet(s) schelen.	— Wanneer wilt u beginnen?
	— Dat kan me niet schelen.
Het/Dat maakt (me) niet uit	— En wat voor werk zoekt u?
	— Dat maakt niet uit.

Iets-niets, iemand-niemand, ergens-nergens

1 Bij dingen: (n)iets; bij personen: (n)iemand; bij plaatsen: (n)ergens

— Zoekt u vakantiewerk?
— Ja, ik zoek iets in juni en juli.

— Dit bedrijf zoekt iemand voor administratief werk.
— Ja, dat is iets voor mij.

— Hebt u ergens op een kantoor of zo geen werk voor me?
— Nee, niets, alleen schoonmaakwerk.

2 (n)iets anders; (n)iemand anders; (n)ergens anders

— Wilt u schoonmaakwerk doen?
— Hebt u niets anders?

— Misschien moet u het ergens anders nog eens proberen.
— Ja, dat zal ik doen, dank u wel.

3 (n)iets + bijvoeglijk naamwoord + s: (n)iets moois, leuks, geks, enzovoort

U kunt het beste dit formulier invullen. Dan kunnen we u bellen, als we iets geschikts voor u hebben.

Interviewer	Meneer Smeets, wat voor werk doet u precies?
Twan Smeets	Ik ben conducteur bij de Nederlandse Spoorwegen.
Interviewer	En hoe lang doet u dit werk al?
Twan Smeets	Ik ben nu twaalf jaar conducteur, maar ik werk al zestien jaar bij de NS.
Interviewer	Wat deed u daarvoor?
Twan Smeets	Voordat ik conducteur werd, bedoelt u? Toen werkte ik als stationsassistent.
Interviewer	En waarom bent u conducteur geworden?
Twan Smeets	Tja, een baan op kantoor leek me niets en ik wist dat de NS een goede werkgever was, dus toen ze conducteurs nodig hadden, heb ik gesolliciteerd.
Interviewer	En daar hebt u achteraf geen spijt van?
Twan Smeets	Nee beslist niet, want ik vind het een leuk beroep. Ik kom elke dag met veel mensen in contact, ik heb aardige collega's en het is een afwisselend beroep.
Interviewer	U knipt niet alleen kaartjes, hè?
Twan Smeets	Nee, ik voel me meer een soort gastheer in de trein. Als conducteur help je de reizigers, je geeft informatie en je bent verantwoordelijk voor de orde en veiligheid in de trein.
Interviewer	Vindt u het een zwaar beroep?
Twan Smeets	Nee, lichamelijk is het geen zwaar beroep, nee. Maar je moet wel stevig in je schoenen staan voor dit werk.

Interviewer	Hoe bedoelt u?
Twan Smeets	Nou, probeert u maar eens de kaartjes te controleren van een groep voetbalsupporters. Dan moet je heel tactisch optreden.
Interviewer	En bent u tevreden over uw salaris?
Twan Smeets	Ach, een mens wil natuurlijk altijd meer. Maar door mijn onregelmatige diensten heb ik recht op een extra toeslag. Op die manier is het een goed betaald beroep.
Interviewer	Dus u bent niet op zoek naar ander werk?
Twan Smeets	Nee, ik wil dit werk graag blijven doen.

Uit: Theo van den Boogaard & Wim T. Schippers, *Sjef van Oekel draaft door*. Uitg. Oberon bv, Haarlem.

Vragen naar een beroep en reactie

Wat is uw/je beroep?   **Ik ben ...**
Welk beroep hebt u/heb je?   **Ik werk als ...**
Wat (voor werk) doet u/doe je?

— Wat is uw beroep?
— Ik ben conducteur.

— Wat voor werk doet u precies?
— Ik ben conducteur bij de Nederlandse Spoorwegen.

— Wat deed u daarvoor?
— Voordat ik conducteur werd, bedoelt u? Toen werkte ik als stationsassistent.

Op zoek naar werk

Gerard

Mijn naam is Gerard, ik ben 32 jaar en ik heb mavo. Ik werk al jaren als assistent inkoper bij een technisch bedrijf. Promotiekansen binnen het bedrijf heb ik eigenlijk niet. Mijn chef is maar twee jaar ouder dan ik, dus als ik moet wachten totdat die met pensioen gaat …
Ik heb al verschillende keren gesolliciteerd. Ik heb natuurlijk veel praktijkervaring, maar ja, ik kan geen diploma's laten zien. Gelukkig ben ik nog nooit één dag werkloos geweest, maar ik vraag me toch af: 'Is er voor mij nou niet een mogelijkheid om hogerop te komen?'

Marijke

Ik ben Marijke, 19 jaar. Toen ik twee jaar geleden mijn havo-diploma haalde, toen sprong ik een gat in de lucht. Nou, ik kan je wel zeggen dat ik nu weer met beide benen op de grond sta. Er zijn wel banen, maar ja, net niet iets voor mij. Overal vragen ze iemand met ervaring. Ik wil het liefst iets met mijn handen doen. Timmeren of meubelmaken, dat lijkt me nou echt leuk. Voor mijn kamer heb ik een tafeltje gemaakt en een boekenkast. Maar nu nog naar de lts? Nou, dat zie ik echt niet zitten. Maar ja, wat dan wel …?

Harmen

Ik ben Harmen, 26, en ik heb op school altijd vreselijk gebaald. De laatste tijd heb ik verschillende baantjes gehad. Eerst administratief medewerker, maar dat was niets. Magazijnbediende bij een handelaar in levensmiddelen, dat beviel me beter. Maar toen het slechter ging met het bedrijf, kreeg ik ontslag. Het laatst gekomen, dus het eerst eruit. Nu repareer ik geluidsinstallaties en oude televisies voor vrienden en kennissen. Electrotechniek is net iets voor mij. Er zijn ook wel vacatures in die branche, maar tot nu toe heb ik nog niets geschikts gevonden.

Cor

Ik ben Cor, ik ben 28 en ik ben net klaar met mijn studie medicijnen. Je denkt misschien dat het voor mij gemakkelijk is om werk te vinden? Nou, vergeet het maar. Ja, ik heb bollen gepeld, tomaten geplukt en in een papierfabriek gewerkt. Want stil zitten kan ik niet. Daar heb ik thuis trouwens nooit de tijd voor gehad. Mijn vader had een melkzaak, dus daar was altijd wel wat te doen. En al die klussen zijn voor een tijdje best leuk, maar het is niet precies wat ik me nou van de toekomst heb voorgesteld.

Positief beoordelen

Het/Dat is iets voor mij.
Het/Dat bevalt me.
Het/Dat lijkt me leuk/goed, enzovoort.

— En wat denk je van electrotechniek?
— Ja, dat is net iets voor mij.

— Heb je ook slechte ervaringen als magazijnbediende bij een handelaar in levensmiddelen?
— Nee, dat beviel me veel beter.

— Wat vind je van timmeren of meubelmaken?
— Dat lijkt me echt leuk.

Negatief beoordelen

Het/Dat is niets voor mij.
Het/Dat bevalt me niet/slecht.
Het/Dat lijkt me niet leuk/goed, enzovoort.

— Vind je administratief werk leuk?
— Nee, dat is niets voor mij.

— Wilt u schoonmaakwerk doen?
— Nee, dat is me vorig jaar slecht bevallen.

— Waarom bent u conducteur geworden?
— Een baan op kantoor leek me niets en ik wist dat de NS een goede werkgever was, dus toen ze conducteurs nodig hadden, heb ik gesolliciteerd.

D ▓▓ 4 Werkloos

Daar zit je nu. Zonder werk. Wat nu? Betekent het dat je helemaal geen geld meer krijgt? Nee, in Nederland bestaat een systeem van sociale verzekeringen. Iedereen betaalt mee aan een soort landelijke verzekering. Door deze verzekeringen hoef je niet meteen honger te lijden als er wat met je gebeurt. Bijvoorbeeld wanneer je een ongeluk krijgt, wanneer je invalide wordt en niet meer kunt werken, wanneer je te oud bent om te werken, enzovoort. Ook als je werkloos wordt, krijg je geld uit die verzekeringspot. Meestal zijn die uitkeringen niet erg hoog, maar je kunt er net van leven. De wetten waarin de uitkeringen geregeld zijn, hebben alle een eigen naam, zoals:

AOW = algemene ouderdomswet,
AWW = algemene weduwen- en wezenwet,
WAO = wet op de arbeidsongeschiktheidsverzekering,
ZW   = ziektewet,
WW   = werkloosheidswet.

Het is geen schande als je op deze wetten een beroep doet. Integendeel, je hebt er recht op. Iedereen betaalt er immers aan mee. Als je werkloos bent, moet je je wel eerst als werkzoekende laten inschrijven bij het Arbeidsbureau.

Naar: *Schoolverlaten*, AFSchrift 5, Anne Frank Stichting, Voorburg, z.j.

Balen...

ALS JE HOOFD WAT OM HANDEN WIL HEBBEN

asa

Je bent MBO-, HBO-, Universitair student of schoolverlater met minimaal je HAVO-diploma op zak. En op zoek naar een tijdelijke baan die behalve bij je studie-rooster ook nog prima bij je opleiding past. ASA Studenten Uitzendbureau heeft die tijdelijke banen en is bovendien het enige landelijke uitzendbureau voor studenten. Dus, kom langs om je in te laten schrijven ook als je pas over enkele weken of maanden kunt werken. Geen tijd..., vul dan de antwoordkaart even in.

ASA Studenten Uitzendbureau. Denkers Die Doen.

Stuur mij de brochure met alle informatie over tijdelijk werk via ASA Studenten Uitzendbureau.
M/V
NAAM
VOORNAAM
ADRES
POSTCODE
WOONPLAATS
TEL.NR
GEB.DATUM
OPLEIDING
BESCHIKBAAR VAN
TOT
VOORKEUR SOORT WERK
PART-TIME ☐ FULL-TIME ☐
* DOORHALEN WAT NIET VAN TOEPASSING IS

Stuur de bon op naar ASA Studenten Uitzendbureau, Antwoordnummer 10825, 2350 VB LEIDERDORP. Een postzegel is niet nodig.

F

achteraf	geschikt	optreden	de toekomst
zich afvragen	de handelaar	de ouderdomswet	de toeslag
afwisselend	hogerop	de papierfabriek	de treinconducteur
het arbeidsbureau	immers	pellen	trouwens
de arbeidsongeschikt-heidsverzekering	de inkoper	het pensioen	het typediploma
de assistent	zich inschrijven	de periode	de uitkering
de baan	de intercedente	plukken	het uitzendbureau
balen	invalide	de praktijkervaring	de vacature
het bedrijf	de kennis	de promotiekans	de vader
beschikbaar	de klus	de reiziger	het vakantiewerk
bevallen	knippen	het salaris	de veiligheid
binnenkrijgen	landelijk	de schande	verantwoordelijk
de boekenkast	de levensmiddelen	het schoonmaakwerk	de verzekering
de bol	lichamelijk	sociaal	de verzekeringspot
de branche	lijden	solliciteren	voelen
de chef	de lts	de spijt	de voetbalsupporter
de conducteur	de lucht	de spoorweg	waarin
daarvoor	— een gat in de lucht springen	springen	de weduwenwet
ertoe	de magazijnbediende	— een gat in de lucht springen	de werkgever
— het doet er niet toe	de medewerker	de stationsassistent	de werkloosheidswet
de gastheer	het medicijn	stevig	de werkzoekende
het gat	— medicijnen studeren	stil	de wet
— een gat in de lucht springen	de melkzaak	de studie	de wezenwet
geleden	meubelmaken	het systeem	de ziektewet
de geluidsinstallatie	onregelmatig	tactisch	
	het ontslag	timmeren	

Appendix I

Kaart van Nederland en Vlaanderen

Nederlands taalgebied

Frans taalgebied (Wallonië)

Taalgrens

Leeuwarden • Groningen

• Assen

Purmerend • Lelystad • Zwolle

Haarlem • Amsterdam

Amstelveen • Almere

• Naarden

Bussum

• Den Haag • Utrecht

• Arnhem

Rotterdam

's-Hertogenbosch

Middelburg •

• Brugge • Antwerpen

WEST-DUITSLAND

• Gent

Hasselt

Maastricht

Brussel

FRANKRIJK

LUXEMBURG

0   50 km

Appendix 2

Lijst van aardrijkskundige namen

land/gebied	inwoner	bijvoeglijk naamwoord
Afghanistan	Afghaan	Afghaans
Afrika	Afrikaan	Afrikaans
Albanië	Albanees, Albaniër	Albanees, Albanisch
Algerije	Algerijn	Algerijns
Amerika	Amerikaan	Amerikaans
Amerikaans Samoa	Amerikaanssamoaan	Amerikaanssamoaans
Andorra	Andorrees	Andorrees
Angola	Angolees	Angolees
Antigua	Antiguaan	Antiguaans
Anguilla	Anguillaan	Anguillaans
Argentinië	Argentijn	Argentijns
Aruba	Arubaan	Arubaans
Australië	Australiër	Australisch
Azië	Aziaat	Aziatisch
Bahamas, de	Bahamaan	Bahamaans
Bahrayn	Bahrayner	Bahrayns
Bangladesh	Bengalees	Bengalees
Barbados	Barbadaan	Barbadaans
België	Belg	Belgisch
Belize	Belizaan	Belizaans
Benin	Beniner	Benins
Bermuda	Bermudaan	Bermudaans
Bhutan	Bhutan	Bhutaans
Bolivia	Boliviaan	Boliviaans
Bondsrepubliek Duitsland, de	Westduitser	Westduits
Botswana	Botswaan	Botswaans
Brazilië	Braziliaan	Braziliaans
Brunei	Bruneier	Bruneis
Bulgarije	Bulgaar	Bulgaars
Burkina Faso	Burkinees	Burkinees
Burma	Burmaan	Burmaans
Burundi	Burundiër	Burundisch
Cameroun	Camerouner	Camerouns
Canada	Canadees	Canadees
Centraalafrikaanse Republiek, de	Centraalafrikaan	Centraalafrikaans
Chili	Chileen	Chileens

China	Chinees	Chinees
Colombia	Colombiaan	Colombiaans
Comoren, de	Comorees	Comorees
Congo	Congolees	Congolees
Costa Rica	Costaricaan	Costaricaans
Cuba	Cubaan	Cubaans
Cyprus	Cyprioot	Cyprisch
Denemarken	Deen	Deens
Djibouti	Djiboutiaan	Djiboutiaans
Dominica	Dominicaan	Dominicaans
Dominicaanse Republiek,de	Dominicaan	Dominicaans
Duitse Democratische Republiek, de (DDR)	Oostduitser	Oostduits
Ecuador	Ecuadoraan	Ecuadoraans
Egypte	Egyptenaar	Egyptisch
El Salvador	Salvadoraan	Salvadoraanse
Equatoriaal Guinee	Equatoriaalguineeër	Equatoriaal- guinees
Etiopië	Etiopiër	Etiopisch
Europa	Europeaan	Europees
Faeröer, de	Faeröerder	Faeröers
Falklandeilanden, de	Falklander	Falklands
Fiji	Fijiër	Fijisch
Filipijnen	Filipijn	Filipijns
Finland	Fin	Fins
Frankrijk	Fransman, mv.: Fransen vrl.: Française	Frans
Frans Guyana	Fransguyaan	Fransguyaans
Frans Polynesië	Franspolynesiër	Franspolynesisch
Gabon	Gabonees	Gabonees
Gambia	Gambiaan	Gambiaans
Ghana	Ghanees	Ghanees
Gibraltar	Gibraltarees	Gibraltarees
Grenada	Grenadaan	Grenadaans
Griekenland	Griek	Grieks
Groenland	Groenlander	Groenlands
Guadeloupe	Guadelouper	Guadeloups
Guam	Guamees	Guamees
Guatemala	Guatemalaan	Guatemalaans
Guinee	Guineeër	Guinees
Guinee-Bissau	Guineebissauer	Guineebissaus
Guyana	Guyaan	Guyaans
Haïti	Haïtiaan	Haïtiaans
Honduras	Hondurees	Hondurees
Hongarije	Hongaar	Hongaars
Hongkong	Hongkonger	Hongkongs
Ierland	Ier	Iers
India	Indiër	Indisch

Indonesië	Indonesiër	Indonesisch
Iraq	Irakees	Iraaks
Iran	Iraniër	Iraans
Israël	Israëliër	Israëlisch
Italië	Italiaan	Italiaans
Ivoorkust	Ivoriaan	Ivoriaans
Jamaica	Jamaicaan	Jamaicaans
Japan	Japanner	Japans
Joegoslavië	Joegoslaaf	Joegoslavisch
Jordanië	Jordaniër	Jordaans
Kaapverdië	Kaapverdiër	Kaapverdisch
Kampuchea (Cambodja)	Kampucheaan	Kampucheaans
Kanaaleilanden	Kanaaleilander	Kanaaleilands
Kenya	Kenyaan	Kenyaans
Kiribati	Kiribatiër	Kiribatisch
Kuwayt	Kuwayter	Kuwayts
Laos	Laotiaan	Laotiaans
Lesotho	Lesothaan	Lesothaans
Libanon	Libanees	Libanees
Liberia	Liberiaan	Liberiaans
Libië	Libiër	Libisch
Liechtenstein	Liechtensteiner	Liechtensteins
Luxemburg	Luxemburger	Luxemburgs
Macau	Macauer	Macaus
Madagascar	Madagas	Madagaskisch
Malawi	Malawiër	Malawisch
Maldiven, de	Maldiviër	Maldivisch
Malaysia	Malaysiër	Malaysisch
Mali	Malinees	Malinees
Malta	Maltees	Maltees
Marokko	Marokkaan	Marokkaans
Martinique	Martiniquaan	Martiniquaans
Mauretanië	Mauretaniër	Mauritaans
Mauritius	Mauritiaan	Mauritiaans
Mexico	Mexicaan	Mexicaans
Monaco	Monegask	Monegaskisch
Mongolië	Mongoliër	Mongolisch
Moçambique	Moçambiquaan	Moçambiquaan
Namibia	Namibiër	Namibisch
Nauru	Nauruaan	Nauruaans
Nederland	Nederlander	Nederlands
Nederlandse Antillen, de	Antilliaan	Antilliaans
Nepal	Nepalees	Nepalees
Nicaragua	Nicaraguaan	Nicaraguaans
Nieuw-Caledonië	Nieuwcaledoniër	Nieuw-caledonisch
Nieuw-Zeeland	Nieuwzeelander	Nieuwzeelands
Niger	Nigerees	Nigerees
Nigeria	Nigeriaan	Nigeriaans

Noord-Jemen	Noordjemeniet	Noordjemenitisch
Noord-Korea	Noordkoreaan	Noordkoreaans
Noorwegen	Noor	Noors
Oekraine	Oekrainer	Oekrains
Oman	Omaniet	Omanitisch
Oostenrijk	Oostenrijker	Oostenrijks
Oost-Timor	Oosttimorees	Oosttimorees
Pakistan	Pakistaan	Pakistaans
Panama	Panamees	Panamees
Paraguay	Paraguayaan	Paraguayaans
Peru	Peruaan	Peruaans
Polen	Pool	Pools
Portugal	Portugees	Portugees
Puerto Rico	Puertoricaan	Puertoricaans
Qatar	Qatarees	Qatarees
Roemenië	Roemeen	Roemeens
Rwanda	Rwandees	Rwandees
San Marino	Sanmarinees	Sanmarinees
Saudi-Arabië	Saudiër	Saudisch
Senegal	Senegalees	Senegalees
Seychellen, de	Seycheller	Seychels
Sierra Leone	Sierraleoner	Sierraleoons
Singapore	Singaporaan	Singaporaans
Somalia	Somaliër	Somalisch
Sovjet-Unie	Sovjetrus — Rus	Sovjetrussisch — Russisch
Spanje	Spanjaard	Spaans
Sri Lanka	Srilankaan	Srilankaans
Sudan	Sudanees	Sudanees
Suriname	Surinamer	Surinaams
Swaziland	Swaziër	Swazisch
Syrië	Syriër	Syrisch
Taiwan	Taiwanees	Taiwanees
Tanzania	Tanzaniaan	Tanzaniaans
Tchad	Tchadiër	Tchadisch
Thailand	Thailander	Thais
Tibet	Tibetaan	Tibetaans
Togo	Togolees	Togolees
Tonga	Tongaan	Tongaans
Tsjechoslowakije	Tsjechoslowaak	Tsjechoslowaaks
Tunesië	Tunesiër	Tunesisch
Turkije	Turk	Turks
Tuvalu	Tuvaluaan	Tuvaluaans
Uganda	Ugandees	Ugandees
Uruguay	Uruguayaan	Uruguayaans
Vanuatu	Vanuatuaan	Vanuatuaans

Venezuela	Venezolaan	Venezolaans
Verenigde Staten, de	Amerikaan	Amerikaans
Verenigd Koninkrijk, het Groot-Brittannië	Brit	Brits
Vietnam	Vietnamees	Vietnamees
West-Samoa	Westsamoaan	Westsamoaans
IJsland	IJslander	IJslands
Zaïre	Zaïrees	Zaïrees
Zambia	Zambiaan	Zambiaans
Zimbabwe	Zimbabwaan	Zimbabwaans
Zuid-Afrika	Zuidafrikaan	Zuidafrikaans
Zuid-Jemen	Zuidjemeniet	Zuidjemenitisch
Zuid-Korea	Zuidkoreaan	Zuidkoreaans
Zweden	Zweed	Zweeds
Zwitserland	Zwitser	Zwitsers

Uit: *Schrijfwijze van buitenlandse namen*, Staatsuitgeverij, 's-Gravenhage, 1987.

Appendix 3

Lijst van onregelmatige werkwoorden

In deze lijst zijn geen samengestelde werkwoorden opgenomen.
Als de voltooide tijd gevormd wordt met 'zijn' staat er tussen haakjes
'zijn' achter het voltooid deelwoord.

infinitief	*onvoltooid verleden tijd*	*voltooid tegenwoordige tijd*
bakken	bakte, bakten	gebakken
beginnen	begon, begonnen	begonnen (zijn)
begrijpen	begreep, begrepen	begrepen
bespreken	besprak, bespraken	besproken
bestaan	bestond, bestonden	bestaan
bevallen	beviel, bevielen	bevallen (zijn)
bieden	bood, boden	geboden
blijken	bleek, bleken	gebleken (zijn)
blijven	bleef, bleven	gebleven (zijn)
breken	brak, braken	gebroken
brengen	bracht, brachten	gebracht
buigen	boog, bogen	gebogen
denken	dacht, dachten	gedacht
doen	deed, deden	gedaan
dragen	droeg, droegen	gedragen
drinken	dronk, dronken	gedronken
eten	at, aten	gegeten
gaan	ging, gingen	gegaan (zijn)
geven	gaf, gaven	gegeven
hangen	hing, hingen	gehangen
hebben	had, hadden	gehad
helpen	hielp, hielpen	geholpen
heten	heette, heetten	geheten
hoeven	hoefde, hoefden	gehoeven
houden	hield, hielden	gehouden
kiezen	koos, kozen	gekozen
kijken	keek, keken	gekeken
komen	kwam, kwamen	gekomen (zijn)
kopen	kocht, kochten	gekocht
krijgen	kreeg, kregen	gekregen
kunnen	kon, konden	gekund

laten	liet, lieten	gelaten
lezen	las, lazen	gelezen
liggen	lag, lagen	gelegen
lijden	leed, leden	geleden
lijken	leek, leken	geleken
lopen	liep, liepen	gelopen
meten	mat, maten	gemeten
moeten	moest, moesten	gemoeten
mogen	mocht, mochten	gemogen
nemen	nam, namen	genomen
rijden	reed, reden	gereden (zijn/hebben)
roepen	riep, riepen	geroepen
schieten	schoot, schoten	geschoten
schrijven	schreef, schreven	geschreven
slapen	sliep, sliepen	geslapen
sluiten	sloot, sloten	gesloten
spijten	speet (het), —	gespeten
spreken	sprak, spraken	gesproken
springen	sprong, sprongen	gesprongen
staan	stond, stonden	gestaan
steken	stak, staken	gestoken
trekken	trok, trokken	getrokken
treden	trad, traden	getreden
vallen	viel, vielen	gevallen (zijn)
verbinden	verbond, verbonden	verbonden
verbreken	verbrak, verbraken	verbroken
vergeten	vergat, vergaten	vergeten (zijn/hebben)
verkopen	verkocht, verkochten	verkocht
verlaten	verliet, verlieten	verlaten
vertrekken	vertrok, vertrokken	vertrokken (zijn)
vinden	vond, vonden	gevonden
vragen	vroeg, vroegen	gevraagd
willen	wou, wouden	gewild
	wilde, wilden	
worden	werd, werden	geworden (zijn)
zeggen	zei, zeiden	gezegd
zien	zag, zagen	gezien
zijn	was, waren	geweest (zijn)
zitten	zat, zaten	gezeten
zoeken	zocht, zochten	gezocht
zullen	zou, zouden	—

Register

De woorden met een • staan in P. de Kleijn en E. Nieuwborg, *Basiswoordenboek Nederlands*, Wolters-Noordhoff, Groningen, 1983. De cijfers achter de woorden verwijzen naar de les waarin ze voor het eerst voorkomen.

Bronvermelding illustraties

Tekeningen

Hans Brik, Enkhuizen   157
Camila Fialkowski, Breda   20*b*, 28, 40*b*, 60, 94*b*, 102, 110*b*, 137*b*
Sandra Ireland, Bovenkarspel   31*b*, 37, 48*b*, 56, 58*b*, 68*b*, 70, 72, 77*b*, 120, 128*b*, 145, 148*b*
Anjo Mutsaars, Haren   13, 22, 32, 43, 51, 58*o*, 59*b*, 62, 63, 64, 65, 66*b*, 68*o*, 77*o*, 78, 113, 131, 148*o*
Jo Nesbitt, Amsterdam   8, 9, 11, 14, 23, 31*m* en *o*, 33, 34, 35, 41, 45, 48*o*, 52, 59*o*, 79, 86, 90, 94*o*, 110*o*, 111, 116, 117, 122, 128*o*, 131, 139, 151
Erwin Suvaal, Rotterdam   10, 20 *m* en *o*, 21, 24, 25, 26, 40*o*, 73, 80, 81, 82, 112, 115, 132, 137*o*, 140
Willem Vleeschouwer, Amsterdam   66*o*, 98, 121, 143

Foto's

ABC Press, Amsterdam   126
ANP Foto, Amsterdam   16*rb*, 29*ro*, 30*lo*, 30*lb*, 49, 87, 96
Het Kaartenhuis. © Ronald Hammega   23
Harm Kuiper, Amsterdam   55, 81, 84, 155
Nationaal Foto Persbureau, Amsterdam   29*lo*, 103
André Ruigrok, Landsmeer   124*b*
Bert Verhoeff, Amsterdam   106

Omslag

De Dokwerker, Amsterdam Nationaal Foto Persbureau, Amsterdam
Skûtsjesilen ABC Press, Amsterdam
Het Binnenhof, Den Haag ABC Press, Amsterdam
Scheveningen ABC Press, Amsterdam
De haven van Rotterdam ABC Press, Amsterdam
Fietsen Nationaal Foto Persbureau, Amsterdam
Polder ABC Press, Amsterdam
Elfstedentocht P. Horree, Leiden
World Trade Center, Rotterdam ABC Press, Amsterdam
Draaiorgel P. Horree, Leiden
Schiphol ABC Press, Amsterdam